D1316997

PETER BRUEGEL D. Ä.

Ausschnitt aus dem Stich von Aegidius Sadeler nach Spranger

DAS
BRUEGEL
BUCH

MIT 40 FARBTAFELN
UND 17 EINFARBIGEN ABBILDUNGEN

VERLAG VON ANTON SCHROLL & CO. IN WIEN

Der Text dieses Buches ist dem im selben Verlag erschienenen großen Werk über Bruegels Gemälde von Gustav Glück entnommen, der auch diesen Auszug durchgesehen und ergänzt hat.

76.—85. Tausend

Printed in Austria

Copyright 1936 by Anton Schroll & Co., Wien

Die Klischees zu den Tafeln 10, 34, 41 lieferte Brend'amour, Simhart & Co., in München; zu Tafel 15 Bendix & Lemke in Berlin; zu Tafel 21 Waterlow & Sons Ltd. in London; zu Tafel 37 Clichés Union S. A. in Paris; zu Tafel 38 F. Guhl & Co. in Frankfurt a. M.; zu Tafel 17 Jean Malvaux in Brüssel. Alle übrigen Klischees dieses Buches stammen von C. Angerer & Göschl in Wien.

Druck: Christoph Reisser's Söhne, Wien

Peter Bruegel der Ältere, auch Bauern-Bruegel genannt, gehört zu den größten und genialsten Künstlern, die je gelebt haben. Seine Kunst verdient unsere Ehrfurcht vollauf. Sie ist altertümlich und modern zugleich: altertümlich, weil sie durch viele Fäden mit der Kunst und vor allem mit der Kultur früherer Zeiten zusammenhängt, modern, weil sie in ihrer Form gänzlich Neues, ja Unerhörtes darbietet, das wir noch heute als modern empfinden und mit den Schöpfungen unserer Tage zu vergleichen lieben.

Der Kreis von Bruegels Vorstellungen umfaßt alles, was zu seiner Zeit geschaut und gedacht werden konnte: Himmel, Hölle und Welt. Die Religion ist ihm keineswegs fremd. Im Gegenteil: er bekennt sich zu ihr, wie fast alle seine Zeitgenossen, und in seinem Schaffen spielt sie eine bedeutende Rolle. Gegenüber der frommen Anschauung, die noch im fünfzehnten Jahrhundert geherrscht hatte, ist freilich eine Verweltlichung und zugleich Verlebendigung der Darstellung eingetreten. Die Gegenstände der Bibel werden in Bruegels Geiste zur vollsten Wirklichkeit; die biblischen Vorgänge gestaltet er zu reichen Volksszenen. Er bevorzugt Teile der Erzählung, die ihm die Möglichkeit zur Darstellung großer Menschenmassen und ihrer mannigfaltigen Bewegung darbieten. Nur die heiligen Personen erscheinen in einer Art von idealer Gewandung, die übrigen in der Tracht der Zeit, hie und da in altertümlicher oder phantastischer. Den Darstellungen aus der Bibel stehen Gebiete von Anschauungen gegenüber, die damals noch die Gemüter kaum weniger bewegten als jene: die des Teufels und des Todes. Seltener behandelt Bruegel Stoffe aus dem Reiche der klassischen Mythologie. Die Allegorie liegt ihm nicht ferne, sie ist bei ihm stets von erläuternden Szenen umgeben. Besonders gerne vertieft er sich in die Wiedergabe von Sprichwörtern, sprichwörtlichen Redensarten und Gleichnissen. Dies bietet ihm den Anlaß zur Schilderung der Welt, die in seinen Augen als verkehrt gilt und zugleich, religiösen Anschauungen entsprechend, als ein Werk des Teufels, des Verkehrers. Hier, wie in dem reinen Sittenbilde, das von solchen Stoffen seinen Ausgang nimmt, wendet er sich ganz und voll der Wirklichkeit des Lebens zu. Endlich bringt er der Größe der Natur seine Huldigung dar in Landschaften von der einfachen Vedute an bis zum Stimmungsbilde von Jahres- und Tageszeiten.

Die Lebensgeschichte des Meisters kennen wir nur in groben Umrissen. Peter Bruegel, der nicht lange vor 1530 geboren sein dürfte, stammt aus dem Grenzgebiete des heutigen Belgiens und des heutigen Hollands. Daß er ein Bauernsohn war und seine Jugend unter Bauern verbrachte, steht keineswegs fest. Man möchte jedenfalls glauben, daß er schon früh in einer Stadt seine geistige Ausbildung erhalten hat, etwa in Herzogenbusch, wo er die ersten künstlerischen Anregungen von den dort befindlichen Werken seines größten Vorgängers Hieronymus Bosch empfangen haben könnte. Nicht unwahrscheinlich ist es, daß schon hier seine zeichnerische und malerische Anlage entdeckt wurde und seine Eltern, Verwandten oder Gönner für ihn einen der damals berühmten Maler als Lehrer in Aussicht nahmen. Die Wahl fiel auf einen allgemein bekannten Vertreter der offiziellen Kunst, auf Peter Coeck van Aelst, der, in Italien gebildet, als Maler, Architekt und besonders als Zeichner für Festdekorationen, Bildteppiche und Glasgemälde wirkte und es bis zu den Würden eines Dekans der Antwerpner Sankt-Lukas-Gilde und eines Hofmalers des Kaisers Karl V. gebracht hatte.

1551 trat Bruegel als Freimeister in die Antwerpner Malergilde ein und bald darauf unternahm er eine längere Reise nach Frankreich und Italien, die ihn nachweislich im Jahre 1553 bis nach Rom brachte. Ähnlich wie Dürer brachte er Neues nach Hause: den Gewinn wahrer künstlerischer Freiheit und Beweglichkeit, dazu noch die Größe in der Auffassung der Natur, die ihm durch die Betrachtung der Alpen eigen wurde. In der Heimat, in Antwerpen selbst, fand er einen Mann, der der geeignetste war, seine Zeichnungen und Kompositionen durch den Kupferstich zu verbreiten. Es war dies Hieronymus Cock, der erste große Verleger von Graphik in den Niederlanden. Für ihn lieferte Bruegel eine Reihe von Federzeichnungen als Vorlagen zu Stichen.

Im Jahre 1563 scheint Bruegel nach Brüssel übergesiedelt zu sein, wo er in demselben Jahre die Tochter seines Lehrers Peter Coeck heiratete, die er während seiner Lehrzeit noch auf den Armen getragen haben soll. 1569 starb er und wurde in der Kirche Notre-Dame de la Chapelle zu Brüssel beigesetzt. Er hinterließ seiner Witwe zwei Knaben in zartem Alter, die sich beide als Künstler Namen machen sollten: Peter Brueghel der Jüngere, auch Höllen-Brueghel genannt, und Jan Brueghel der Ältere, genannt Samt-Brueghel.

Gerne wüßten wir über Bruegel mehr, als was diese knappe Geschichte seines Lebenslaufes ergibt; vor allem würden wir wünschen, etwas über sein Wesen und seine Persönlichkeit zu erfahren. Wir hören nur, daß er ein stiller und gesetzter Mann war, der wenig sprach, seine Gesellschaft aber mit Scherzen zu unterhalten liebte, wobei er Freunde und Gehilfen durch allerlei Spuk und Lärm zu erschrecken wußte. Daß er Welt und Menschen kannte, daß er den geistigen und wohl auch den geistlichen Strömungen seiner Zeit nicht fremd gegenüberstand, geht aus seinem Lebensgang hervor, noch mehr aber aus seinen Werken, die schließlich für die Erkenntnis seiner Persönlichkeit die beste und verläßlichste Quelle sind, die wir besitzen.

6

Große Fische fressen die kleinen   Zeichnung, Wien, Albertina

Bruegel gehört — etwa wie vor ihm Dürer und Holbein — zu den großen
Künstlern der neueren Zeit, die in bevölkerten Handelsstädten gelebt und die
Welt auf Reisen kennengelernt haben. Ihr künstlerischer Ursprung ergibt sich
nicht mehr allein aus dem einfachen Hinweis auf ihren Lehrer und ihre Schule.
Sie fassen in ihrem Schaffen weit mehr von dem zusammen, was in den früheren
Zeiten geistig und künstlerisch vorgegangen war. Bruegels Stil, wie er sich in
seinen Gemälden und auch in seinen Handzeichnungen und Vorlagen zu Kupfer-
stichen ausspricht, wird uns nicht viel klarer dadurch, daß wir wissen, daß er
ein Schüler Peter Coecks gewesen ist. Eher möchten die mannigfaltigen Anregungen, die ein großer Kunstverlag, wie der Hieronymus Cocks in Antwerpen,
einem jungen Künstler zu bieten vermochte, nicht zu unterschätzen sein.
Mit Hieronymus Cock war aber Bruegel noch durch ein anderes künstlerisches
Interesse verbunden: es ist dies die Vorliebe für die Werke des Hieronymus
Bosch. Bei Bosch, der im Jahre 1516, also sicherlich noch vor Bruegels Geburt,

7

Die Trägheit (aus der Folge der Sieben Laster)   Zeichnung, Wien, Albertina

gestorben ist, finden sich schon die meisten Gegenstände, die zu den auffallendsten
im Schaffen des jüngeren Künstlers gehören, darunter Sittenbilder, Sprichwörter,
Darstellungen von Höllenspuk, Teufel und Tod. Wie nahe sich manchmal Bruegel
mit Bosch berührte, geht daraus hervor, daß eine mit dem Namen Bruegels
bezeichnete Handzeichnung aus dem Jahre 1556 auf einem von Hieronymus Cock
herausgegebenen Kupferstich als Erfindung von Bosch wiedergegeben erscheint:
es ist das Blatt der Wiener Albertina „Große Fische fressen die kleinen", die
Darstellung eines weitverbreiteten Sprichworts, das auch noch Shakespeare kennt.

In solchen Vorlagen zu Kupferstichen, deren Bruegel für Hieronymus Cock
eine ganze Reihe gezeichnet hat, geht er unverkennbar auf die altertümliche
Weise des Hieronymus Bosch zurück, schafft aber in diesen Blättern, von denen
hier nur etwa die Versuchung des heiligen Antonius, das Jüngste Gericht, Christus
im Limbus, die beiden Folgen der Sieben Laster und der Sieben Tugenden genannt seien, etwas ganz Neues: nicht volkstümliche Flugblätter, die für die

8

Die Hoffnung (aus der Folge der Sieben Tugenden)   Zeichnung, Berlin, Kupferstichkabinett

weiteste Verbreitung bestimmt gewesen wären, sondern gedanklich tiefe Kunstwerke, die sich mit ihrem scharfen Humor und ihrer gegen die Verkehrtheit der Welt gerichteten Satire an den engeren Kreis der Gebildeten wenden. Auch im Sinne einer durchaus religiösen Anschauung, die Bruegel beibehielt, wie seine Zeitgenossen, und die ihn an Teufel und Hölle glauben ließ, kann die törichte Welt nicht genug verachtet und verspottet werden.

Freilich darf uns Bruegel nicht als ein intransigenter Neuerer gelten: die geistigen und geistlichen Vorstellungen, über die er frei verfügt, fußen im Grunde auf der mittelalterlichen Auffassung. Manche von Bruegels Stoffen begegnen uns bereits in Pantomimen, Balletten und Aufzügen, welche im fünfzehnten Jahrhundert an den Höfen von Burgund, Frankreich und England zur Vorführung gelangten. Und etwas von der Hofnarrenweisheit der vorangegangenen Zeit steckt noch in ihm, ebensogut wie in Shakespeare.

Bisher haben wir nur von der Gedankenwelt gesprochen, die sich schon in Bruegels Vorlagen zu Kupferstichen ausdrückt, welche er bald nach der italienischen Reise zu schaffen begonnen hat. In seinen Anfängen kennen wir ihn hauptsächlich als Zeichner. Die Gemälde, die ihn berühmt gemacht haben, stammen alle aus dem letzten Jahrzehnt seines — offenbar ziemlich kurzen — Lebens: erst vom Jahre 1559 an hat er seine Bilder ständig mit dem Namen und zumeist mit der Jahreszahl bezeichnet. Es ist aber nicht zweifelhaft, daß er früher schon gemalt hat. In die Zeit seiner Anfänge gehören zwei große, sehr figurenreiche Gemälde: die Anbetung der Könige (Taf. 6) und die Vertreibung der Krämer aus dem Tempel (Taf. 5).

Offenbar auch noch vor dem Jahre 1559 hat er einige Staffeleibilder geschaffen, die, untereinander in Stoff und Behandlung höchst verschieden, doch schon die volle Eigenart des Meisters und seine Unabhängigkeit von fremden Vorbildern verraten: die merkwürdige Ansicht des Hafens von Neapel (Taf. 1), die groß gesehene Landschaft mit der Marter der heiligen Katharina (Taf. 2), das sehr anziehende Bild des Erzengels Michael (Taf. 3), die weiträumige Flußlandschaft mit dem säenden Bauer aus dem Jahre 1557 (Taf. 7) und die höchst eigenartige Landschaft mit dem Sturz des Icarus (Taf. 8). Bei dem einen Bilde gemahnt das italienische Stadtbild, bei dem anderen die einzelne Gestalt des Heiligen, bei dem zuletzt genannten der mythologische Vorwurf an den Aufenthalt des Künstlers im Süden, und selbst in den reinen Landschaften sind Beziehungen zu italienischen Vorbildern zu erkennen. Ganz als Niederländer erscheint er uns endlich in der Landschaft mit der Versuchung des heiligen Antonius, in der er die wundervolle Natur in einen Gegensatz zu den Leiden des Gerechten auf Erden bringt (Taf. 4).

Dieser Periode der Anfänge, die etwa acht Jahre umfaßt, folgt die Zeit der Meisterwerke, die 1559 anhebt und bis zum Tode des Künstlers, also ein volles Jahrzehnt, andauert. Die jetzt entstandenen Gemälde zeigen sämtlich eine hohe Vollkommenheit und Reife, ihr künstlerischer Wert ist durchaus gleichmäßig und nur ein Fortschreiten, kein Fortschritt ist zu bemerken. Die Färbung ist im Anfang noch schwerer, dunkler, bunter, kräftiger, hellt sich erst allmählich auf und bevorzugt immer mehr neben den reinen Farben zarte gebrochene Töne. Die Komposition geht noch von dem Vielerlei der Spätgotik aus, vereinfacht sich aber zusehends und gelangt schließlich zur vollen Einheitlichkeit der Erzählung und des Naturbildes. Die Perspektive, vom Beginn an vollkommen und deutlich, wird später weniger auffallend und erreicht endlich die durch unmerkliche Mittel bewirkte Selbstverständlichkeit. Die Körperformen setzen, im Widerspruch zu den unbestimmteren und flüchtiger beobachteten jener frühen Arbeiten, ein gründ-

Landschaft mit der Heiligen Familie   Zeichnung, Berlin, Kupferstichkabinett

liches Studium der Natur voraus, wovon noch manche Zeichnungen zeugen. Der Gegensatz zwischen den plumperen profanen Figuren und den schlank, ja fast vornehm gebildeten Heiligengestalten wird stärker als früher. In der Technik wird die von uns heute so genannte Ölmalerei bevorzugt, doch kommen noch in der spätesten Zeit Temperabilder auf Leinwand vor, von denen glücklicherweise zwei Hauptwerke im Museum zu Neapel (Taf. 35 und 39) erhalten geblieben sind.

Betrachten wir in dieser geschlossenen Reihe die Art der Erzählung, so fällt vor allem auf, daß sie von der Weise der vorangegangenen altniederländischen Malerei gänzlich verschieden ist. Sie ist gleich ferne von der fast befangen andächtigen Ruhe der frühen großen Künstler, wie auch von der äußerlichen Bewegtheit ihrer nach italienischer Formenschönheit strebenden Nachfolger. Und doch hat sie mit beiden etwas gemein, mit der einen die Liebe und Treue der Natur gegenüber, mit der anderen den beweglicheren Reichtum des Bildaufbaus. In gewissem Sinne zeigt sie ein Nebeneinander von realistischem und von idealistischem Stil. Und in den

Idealgestalten Bruegels mit ihren fast überlangen Verhältnissen und ihren Bewegungen verrät sich unverkennbar ein Einfluß italienischer Kunstweise.

Eine ganze Welt tritt uns in seinen Gemälden entgegen, eine Welt freilich nicht wie sie sein soll, sondern wie sie ist. Bruegel schildert mehr, als er erzählt; er stellt fest, ohne ein Urteil zu fällen; er gibt ohne Kritik, obwohl durch ein unvergleichliches Künstlerauge gesehen, die reine Wirklichkeit wieder. Er ist nirgends lehrhaft, andrerseits kein Spötter, sondern ein Beobachter, der freilich an den Empfindungen des Lebens, an Schmerz, Streit, Freude, Heiterkeit nicht vorübergeht. Er selbst weint, lacht und streitet nicht. Aber ein leises, wehmütiges Lächeln mag manchmal über seine Lippen geschwebt sein.

Wenn er in seinen Gemälden religiöse Vorwürfe wiedergibt, so will er uns ein Bild des Lebens geben, und dieses Leben wird bei ihm zu dem *seiner* Zeit. Seine eigenen Landsleute erscheinen hier in ihrer gewohnten Tracht als Zuschauer, wenn nicht als handelnde Personen. Ein weiteres Merkmal seiner Kunst ist es, daß er selten den hauptsächlichen Vorgang der Erzählung in den sichtbaren Mittelpunkt des Bildganzen stellt und ihn eher zu verbergen als zu betonen trachtet. Dies zeigen schon die beiden Gemälde, deren Stoff er dem Alten Testament entnommen hat: das kleine des Selbstmords Sauls (Taf. 16, mit der Jahreszahl 1562) und das große des Turmbaus zu Babel (Taf. 18, mit der Jahreszahl 1563). Grundsätzlich das gleiche gilt von manchen seiner Gemälde, welche Vorwürfe aus dem Neuen Testament behandeln: der Kreuztragung Christi (Taf. 19, mit der Jahreszahl 1564), der Predigt Johannis (Taf. 30, mit der Jahreszahl 1566) und der Bekehrung Pauli (Taf. 33, mit der Jahreszahl 1567).

In dieser Gewohnheit Bruegels, den eigentlichen Vorwurf eines Bildes in dem Getriebe der ihn umgebenden Massen zu verbergen und untergehen zu lassen, mag die Andeutung enthalten sein, daß die Welt selbst das Wichtigste nicht als wichtig zu betrachten vermag. Freilich hat dieser Standpunkt nicht überall Gültigkeit, und es gibt Themen, in deren Behandlung der Künstler sich jedesmal wieder ein anderes Problem stellt. Das Thema der Anbetung der Könige, das er in jenem frühen Gemälde (Taf. 6) als eine Art von Haupt- und Staatsaktion wiedergegeben hatte, stellt er ein zweites Mal vereinfacht in einem Bilde von hohem Format (Taf. 21, mit der Jahreszahl 1564) dar, worin der geistige Inhalt in etwas anderem liegt — in dem stumpfsinnigen, verständnislosen Erstaunen der Anwesenden. Wieder von einer ganz anderen Seite faßt Bruegel denselben Vorwurf an in einer dritten Darstellung dieses Gegenstandes, welche im Schnee spielt (Taf. 32, mit der Jahreszahl 1567). Das, was wir heute Anachronismus nennen, hat ihn nicht nur nicht gestört, sondern es ist die ihm eigene und natürliche Anschauung von den bibli-

Der Alchimist   Zeichnung, Berlin, Kupferstichkabinett

schen Vorgängen. Die Kreuztragung Christi schildert er als eine Hinrichtung, die Bekehrung Pauli als einen Heereszug durch die Alpen. In der Vergegenwärtigung anderer evangelischer Szenen geht er noch einen Schritt weiter, indem er die, welche zur und nach der Weihnachtszeit spielen, in die winterliche Umgebung seiner Heimat versetzt, wie die „Volkszählung zu Bethlehem" (Taf. 28, mit der Jahreszahl 1566) und den Bethlehemitischen Kindermord (Taf. 29), und in jenem Gemälde der Anbetung der Könige (Taf. 32) herrscht gar ein lustiges Schneegestöber. Der Vorwurf der Flucht der Heiligen Familie gibt ihm Anlaß zur Darstellung einer entzückenden weiten Landschaft, die das ersehnte Ägypten verkörpern soll (Taf. 17, von 1563).

Überwiegt in der Erzählungsart fast aller religiösen Historienbilder Bruegels das schildernde Element, so kommt es bei dem Meister hie und da auch zu einer einheitlichen, geschlossenen Form der Komposition. Neben der Anbetung der Könige in Hochformat ist hier das kleine, grau in grau gemalte Bild des Todes Mariä (Taf. 20) zu nennen.

Flußlandschaft mit Felsen   Zeichnung, Berlin, Kupferstichkabinett

Zu den geistlichen Anschauungen in Bruegels Zeit gehörten auch als eine Art von Kehrseite die Vorstellungen von Hölle, Teufel und Tod. In dem gewaltigen Gemälde des Triumphs des Todes (Taf. 12) erzählt er uns von der unerbittlichen, über alle Menschen und Stände herrschenden Macht des Schicksals. Ist hier die Erzählung durchaus noch in Einzelheiten zerlegt, so erscheint in dem Bilde des Sturzes der gefallenen Engel (Taf. 14, aus dem Jahre 1562) die Darstellung des Kampfes des heiligen Michaels und seiner himmlischen Heerschar gegen das Gezücht der Hölle einheitlicher, geschlossener, abgerundeter. Beide Darstellungsweisen vereinigt in gewissem Sinne das Gemälde der „tollen Grete" (Taf. 13, aus dem Jahre 1562?), das als die einzige gemalte Wiedergabe der Hölle durch Bruegel in der Bildung des mannigfaltigen Spuks manche Verwandtschaft mit der Auffassung des Hieronymus Bosch verrät.

Auch in der Neigung zur Darstellung von Sprichwörtern und biblischen Gleich-

14

Die Hasenjagd   Originalradierung

nissen begegnet sich Bruegel mit Bosch. Obwohl Bruegel eine moralisierende
Tendenz fernzuliegen scheint, bevorzugt er doch als Vorwürfe für seine Bilder
sprichwörtliche Redensarten, denen ein pessimistischer Grundzug eigen ist. So
vereinigt Bruegel auf seinem Sprichwörterbild (Taf. 10, mit der Jahreszahl 1559)
in dem Rahmen einer Art von Schildbürgerdorf an hundert einzelne Szenen, welche
allerlei solche Redensarten wiedergeben. Ihre Vereinigung bietet ein wahres Bild
der Verkehrtheit der Welt. Bruegel hat die Vorliebe für Sprichwörter bis zum Ende
seines Lebens beibehalten und stellt auch in mehreren kleinen Bildern einzelne
sprichwörtliche Redensarten dar: in einem die Trauer über die Treulosigkeit der
Welt (Taf. 35, aus dem Jahre 1568), in einem andern das Sprichwort vom Vogel-
nest (Taf. 36, ebenfalls 1568), in einem dritten den lustigen Weg zum Galgen
(Taf. 38, auch vom Jahre 1568), endlich in einem vierten, einer wildbewegten
Meerlandschaft, einen Walfisch, der, mit einer Tonne spielend, statt das Schiff zu

15

Der Frühling   Zeichnung, Wien, Albertina

verfolgen, das Gleichnis für einen Menschen bildet, der um nichtiger Dinge willen
sein wahres Wohl versäumt (Taf. 44).

In denselben Gedankenkreis der verkehrten Welt gehört auch die einzige Darstellung, deren Gegenstand Bruegel dem Volksmärchen entnommen hat: das
Schlaraffenland (Taf. 34, mit der Jahreszahl 1567). Noch größer erscheint er in
der Wiedergabe biblischer Gleichnisse. Davon zeugen zwei hervorragende Kompositionen: der ungetreue Hirt (Taf. 40), der die ihm anvertraute Schafherde dem
Angriffe des Wolfes überlassen hat, und das Gleichnis von den Blinden (Taf. 39, aus
dem Jahre 1568), deren aus sechs Gliedern bestehende Kette Bruegel dem Sturz
in den Graben entgegenstreben läßt. Dies sind im Grunde Allegorien, deren Sinn
schon durch das Evangelium gegeben ist, die aber hier zu einer Macht des Aus-
drucks gebracht erscheinen, wie sie in der bildenden Kunst niemals vorher und
niemals später erreicht worden ist. Eine wesentlich andere, rein profane Form

16

Pieter Brueghel. d. j.

Der Sommer

Zeichnung, Hamburg, Kunsthalle

der Allegorie behandelt Bruegel in einem lange vorher entstandenen Bilde, dem Streit des Karnevals mit den Fasten (Taf. 9, mit der Jahreszahl 1559). Hier umgibt er die Hauptszene des Kampfes zwischen dem Karneval und den Fasten mit zahlreichen Volksszenen, ähnlich wie in jenem Sprichwörterbilde (Taf. 10) und wie in einem dritten Gemälde, den Kinderspielen (Taf. 11, aus dem Jahre 1560).

Stellt Bruegel schon in den bisher erwähnten Gemälden die menschliche Gestalt, von den heiligen Idealgestalten angefangen bis zu den Blinden und Krüppeln, dar, so beherrscht er daneben noch ein eigenes Gebiet, das in seinem Schaffen zwar keine solche Rolle spielt, wie man nach seinem Beinamen des „Bauern-Bruegel" glauben sollte, das aber doch einige von seinen größten Leistungen enthält: das des Sittenbilds, des Bauernstücks. Hier tritt Bruegel nicht mehr als Erzähler auf, sondern allein als Schilderer. Er läßt seine Bauern sich vom Beschauer unbeobachtet glauben und mit- und untereinander ganz ihr eigenes Leben führen. In den

17

Das Gespann   Zeichnung, Wien, Albertina

frühesten seiner figurenreichen Bilder erreicht er noch nicht die volle Lebens- und Naturwahrheit seiner späteren Bauerngestalten. Die einzelnen Köpfe und Gestalten, Mienen und Gebärden zeigen noch nicht den Individualismus und Realismus seiner reifen Zeit. Nun beginnt er aber — zugleich mit den ersten Meisterwerken unter den Gemälden — ein höchst eindringendes und sorgfältiges Studium nach der Natur. Er zeichnet mit der Feder die verschiedensten Typen von Bauern und Bäuerinnen und merkt dabei auf demselben Blatt genau die Farben der Trachten an, Angaben, die nur für ihn, den Maler, nicht für den Beschauer oder Käufer bestimmt sein können. Meist setzt er selbst die Bemerkung hinzu, diese Zeichnungen seien nach der Natur (*„naert het leven"*) geschaffen; es sind nicht flüchtige, gelegentliche Skizzen, sondern gründliche, methodisch durchgeführte Arbeiten, bei denen die Treue und Ehrfurcht der Natur gegenüber beinahe der wissenschaftlichen Genauigkeit eines Ethnographen vergleichbar ist.

Studien „nach dem Leben"   Zeichnung, Wien, Sammlung des Fürsten Liechtenstein

Nach Vorstufen aus früherer Zeit entstand die reiche und reichbewegte Komposition des Hochzeitstanzes (Taf. 27, aus dem Jahre 1566). Noch mächtiger und wahrhaft unwiderstehlich tritt uns die Schilderung des Bauernlebens in einem Bilde verwandten Vorwurfs entgegen, dem Bauerntanz (Taf. 43). Dasselbe gilt von einem zweiten Gemälde, das zumeist als Gegenstück des Bauerntanzes betrachtet wird, der Bauernhochzeit (Taf. 42).

Auch den Schattenseiten des Lebens steht Bruegel nicht teilnahmslos gegenüber, und selbst den Krüppeln hat er ein eigenes Bildchen (Taf. 37) gewidmet. Ähnlich wie mit der Darstellung des Menschen hält er es mit der der Tiere. Abgesehen von einem einzigen Tierporträt, das wir in dem reizenden Bildchen der zwei Affen (Taf. 15) erkennen können, sind auf seinen Gemälden alle die Tiere reine Erinnerungsbilder. Sie sind in ihrem Wesen und ihrer Bewegung getreu, aber ganz aus dem Gedächtnis erfaßt; es sind gewöhnliche Tiere von gemeiner Rasse, die zu den Landleuten passen.

19

Was soll man endlich über Bruegels Darstellung der unbelebten Natur, über seine Landschaftsmalerei sagen? Es fehlen einem die Worte, sie in ihrer ganzen Größe zu schildern. Hat er in seinen Figurenbildern erst allmählich die völlige Einheitlichkeit der Darstellung erreicht, so scheint sie in der Wiedergabe der Natur von vornherein gegeben: er ist der geborene Landschaftsmaler. Und in der Tat beginnt seine künstlerische Laufbahn, wenigstens soweit wir heute sehen können, mit Landschaftszeichnungen. Die reine Landschaft, die in unserer Zeit etwas ganz Alltägliches ist, war damals noch eine fast völlige Neuheit.

Auch hier ist er nicht eigentlich der unabhängige Neuerer, als welcher er uns nach der Größe und Unwiderstehlichkeit seiner Kunst leicht erscheinen mag. Zu dieser Größe rechnen wir aber seine innige Liebe zur Natur, welche sich auch in den Landschaften, mit denen er fast immer seine Figurenbilder umgibt, in so eindringlicher Weise kundgibt, daß seine Gestalten in der Natur zu leben, mit ihr verwachsen zu sein scheinen.

Unter den eigentlichen Landschaften des Meisters bilden jene drei Gemälde, die Ansicht des Hafens von Neapel (Taf. 1), die Landschaft mit der Marter der heiligen Katharina (Taf. 2) und die Flußlandschaft mit dem säenden Bauer (Taf. 7), Vorstufen aus früherer Zeit. Seine volle Meisterschaft erweist er schon in der erwähnten Landschaft mit der Flucht nach Ägypten (Taf. 17) und ganz besonders in der unvollständigen Reihe von fünf Monatsbildern. Was davon übriggeblieben ist, ist von höchster künstlerischer und kunstgeschichtlicher Bedeutung. Niemals vorher sind die verschiedensten atmosphärischen Stimmungen der einzelnen Zeiten des Jahres durch die Malerei in so überzeugender, hinreißender und berückender Weise zum Ausdruck gebracht, niemals ist in einem Bilde ein so vollkommenes Gesamtbild der weiten Natur entworfen worden, niemals zuvor die Staffage so sehr mit der Landschaft eins geworden, daß sie gar nicht mehr als Staffage wirkt.

Die Reihe beginnt mit den Jägern im Schnee (Taf. 22, mit der Jahreszahl 1565), womit wahrscheinlich der Monat Februar gemeint ist. Bruegel ist damit zum Schöpfer der weitverzweigten Gattung des niederländischen Winterbildes geworden. Er selbst hat, wie wir gesehen haben, manche biblische Vorgänge im Schnee spielen lassen und außer jenem Monatsbilde noch eine kleine, höchst reizvolle Winterlandschaft (Taf. 31, aus dem gleichen Jahre 1565) geschaffen.

Die übrigen Stücke der gleichen Folge beweisen, daß er andere Stimmungen der Jahreszeiten mit nicht geringerem Gefühl für das Wesentliche, Typische zu erfassen gewußt hat. In dem düsteren Tag (Taf. 23, mit der Jahreszahl 1565), worunter wohl der Monat März zu verstehen sein dürfte, schildert er die Stimmung des Vorfrühlings, in der Heuernte (Taf. 24), die den Juni verkörpern mag, den heiteren An-

Künstler und Kenner   Zeichnung, Wien, Albertina

blick des Spätfrühlings oder Frühsommers, in der Kornernte (Taf. 25, mit der Jahreszahl 1565), der vermutlichen Wiedergabe des Monats Juli, die Wirkung der heißen Luft des Hochsommers, in der Heimkehr der Herde (Taf. 26, mit der Jahreszahl 1565), womit der November gemeint sein könnte, einen kalten Herbsttag.

Diesen großartigen Stimmungsbildern schließt sich jene kleine Meerlandschaft (Taf. 44) an, die, wenn ihr auch der Sinn einer sprichwörtlichen Redensart zugrunde liegt, als die erste vollendete niederländische „Marine" gelten muß. Wie

21

weit ist der Weg, den Bruegels Landschaftskunst von der fast miniaturartig feinen Wiedergabe der Wellen in dem frühen Hafen von Neapel (Taf. 1) bis zu der breiten, kühnen und flüssigen malerischen Darstellung der Wogen des sturmgepeitschten Meeres in diesem späten Werke gegangen ist!

Gerade die Kunstgattungen, in denen das stoffliche Interesse hinter dem rein malerischen zurücktritt, das Sittenbild und die Landschaft, haben von Bruegels Lebenswerk die maßgebendste Einwirkung auf die weitere Entwicklung der neueren Malerei ausgeübt. Ohne künstlerisch jemals über Bruegels Maß hinauszugehen, hat das siebzehnte Jahrhundert nach seinem Beispiel und Vorbild die besonderen Gattungen der Malerei ausgebildet. Das Bauernstück Adriaen Brouwers ist ohne ihn kaum denkbar, und selbst ein Meister von solcher Vielseitigkeit und solchem Schwung des Wesens wie Rubens hat ihm vieles zu danken. Unter den folgenden, von Bruegels Eigenart so weit entfernten Strömungen des achtzehnten und neunzehnten Jahrhunderts ist seine Kunst, ja fast sein Name in Vergessenheit geraten. Seine phrasen- und posenlose Art die Dinge zu sehen, seine geistig überlegene Betrachtung der Welt und der Menschen, seine wunderbare malerische Begabung mit ihrem feinen Farbengeschmack, seine vereinfachende Bildung der Formen in Flächen, der berückende Stimmungsgehalt seiner Landschaften sind erst in unseren Tagen wieder voll erkannt worden.

In der Tat gibt es unter den Künstlern vergangener Zeiten kaum einen, der uns Heutigen in Form und Farbe seiner Werke so sehr entgegenkommt wie er, kaum einen, der in der Auffassung von Welt und Natur, in seiner ganzen Gesinnung uns so viel gibt wie er. Daß er unsrer Empfindung, ja unserem Herzen so nahe steht, mag daran liegen, daß auch er in einer Zeit der Umwälzung und der Umwertung aller Werte gelebt und schon manches, was wir heute fühlen, vorahnend in die Gestalt seiner Kunst gebracht hat. Das aber, wofür er gelebt, das Unvergleichliche, das er geschaffen hat, gilt nicht etwa nur für seine Zeit oder für die unsrige, sondern für alle Zukunft, solange wahre Größe künstlerischer Schöpferkraft geschätzt werden wird.

DIE GEMÄLDE

DER HAFEN VON NEAPEL

Rom, Galerie Doria

Holz; 41 cm hoch, 70 cm breit. Nicht bezeichnet, jedoch
von Ludwig Burchard wegen der Ähnlichkeit der Komposition mit der von Frans Huys 1561 nach Bruegel
gestochenen „Seeschlacht bei Messina" richtig als Werk
des Meisters erkannt.

In diesem verhältnismäßig kleinen Bilde scheint uns eine
Vorstufe der niederländischen Marinemalerei, freilich
noch mit einem italienischen Motiv, vorzuliegen. Bruegel
hat sich mit der Darstellung des Meeres und der Schiffe
wiederholt beschäftigt; davon zeugt nicht nur eine Reihe
von 13 Wiedergaben von Meeresschiffen, welche Frans
Huys nach Bruegels Zeichnungen gestochen hat, sondern
auch die Erwähnung von zwei Gemälden ähnlichen Vorwurfs in der Sammlung Granvella zu Besançon und in
Rubens' Nachlaß. Ob eines dieser Bilder mit dem vorliegenden identisch ist, läßt sich nicht mit Bestimmtheit sagen.

2

LANDSCHAFT MIT DER
MARTER DER HEILIGEN KATHARINA
New York, Privatbesitz

Holz; 61 cm hoch, 118 cm breit. Nicht bezeichnet. Zuerst veröffentlicht von Edouard Michel; später nach der seither erfolgten Reinigung von Max J. Friedländer und dem Verfasser als ein frühes Werk des Meisters anerkannt.

Der Vorwurf der Marter der heiligen Katharina kommt schon im 15. Jahrhundert in niederländischen Miniatur-Handschriften vor und auch Dürer hat ihn in einem frühen Holzschnitt dargestellt. Erst Joachim de Patinier aber hat diesen Vorgang in eine weite Landschaft versetzt, so in einem kleinen Bilde des Wiener Museums und in einer heute verschollenen großen Leinwand, die sich 1521 im Besitze des Kunstfreundes Kardinal Grimani in Venedig befand. Ob Bruegel das zuletzt genannte Gemälde kennengelernt und dadurch zu dem vorliegenden Werke eine Anregung erhalten haben könnte, bleibt zweifelhaft. Jedenfalls legt er viel mehr noch als Patinier das Hauptgewicht auf die Landschaft und, indem er den Vorgang der Hinrichtung ganz in den Hintergrund rückt, sucht er ihn fast zu verbergen, wie es auch später noch seine Gewohnheit ist. Der größte Reiz des Bildes liegt in der Tat in der durch wenige Genrefiguren belebten Natur mit dem weiten Ausblick auf Hügel, Felsen, das Meergestade und den gewittrigen Wolkenhimmel. Gerade die Einzelheiten der Landschaft wie auch der kleinen Figuren stimmen im Stil durchaus mit Bruegels in Italien geschaffenen Handzeichnungen und Gemälden überein. Dazu kommt noch der Umstand, daß der Malgrund, gegenwärtig Sperrholz, nach der verbürgten Angabe des jetzigen Besitzers ursprünglich das in Italien gebräuchliche Pappelholz war, was auch für eine Entstehung des Bildes auf Bruegels Reise, nicht später als 1553, spricht.

DER ERZENGEL MICHAEL
Eindhoven, Dr. A. F. Philips

Holz; 43 cm hoch, 29·2 cm breit. Nicht bezeichnet. Zuerst
von P. Wescher als Werk Bruegels veröffentlicht.

Der Sinn der Darstellung ist wohl, daß der heilige Michael
seinem Gefolge die Abwehr der Gefährten des Teufels im
Himmel überlassen hat, selbst aber vom Himmelsthrone
herabgestiegen ist, um den Teufel auf seinem eigensten
Gebiete, der Erde, zu bekämpfen und zu besiegen. Zu
der moralischen Verderbtheit und Verkehrtheit der Welt
bildet die paradiesische Schönheit der Landschaft einen
ohne Zweifel beabsichtigten und bewußten Gegensatz.
Bruegel begegnet sich hier schon in gewissem Sinne
mit einem viel späteren großen Geiste, mit Chamfort,
dem die sinnliche Welt als Werk eines mächtigen
und guten Wesens erschien, das die Ausführung eines
Teiles seines Planes einem bösartigen hatte überlassen
müssen, während er die sittliche Welt als die Schöpfung
der Laune eines verrückt gewordenen Teufels ansah.

4.

LANDSCHAFT MIT DER VERSUCHUNG DES HEILIGEN ANTONIUS
London, Robert Frank

Holz; 57·8 cm hoch, 85·3 cm breit. 1934 in altem, adeligem belgischem Familien-
besitz wiederentdeckt und zuerst von Leo van Puyvelde veröffentlicht.

Die Vorliebe für die Wiedergabe der Anfechtungen des heiligen Antonius
findet sich schon in der früheren niederländischen Kunst und sie beruht wohl
auf dem Grundgedanken, der schon in den Psalmen erscheint: „Der Gerechte
muß viel leiden; aber der Herr hilft ihm aus dem Allen." Daneben spielt
die Neigung der Gotik zu Grotesken und Drolerien stark mit, welcher der
Vorwurf sehr entgegenkommt. Das Hauptwerk dieser Art ist Hieronymus
Boschs berühmter Flügelaltar, heute im Museum zu Lissabon, ein Wunder-
werk feinfühliger Malerei und Färbung, das in der ersten Hälfte des sech-
zehnten Jahrhunderts unzählige Male kopiert und nachgeahmt worden ist.
Bruegel hat den Gegenstand in einem Kupferstich aus dem Jahre 1556 behandelt und sich in der Wiedergabe des aus menschlichen und tierischen
Körpern und Körperteilen wie auch aus allerlei Geräten zusammengesetzten
Höllenspuks an den Stil seines Vorgängers angeschlossen. In ähnlichem Sinne
wird in dem hier wiedergegebenen Gemälde durch die Betonung des Landschaftlichen die göttliche Natur zur Hauptsache gemacht, noch mehr als
in jenem Bilde des „Erzengels Michael" (Taf. 3). Die Hauptfigur des heiligen
Antonius erscheint zwar zweimal, ohne aber auch nur im geringsten auf-
zufallen — ein Verstecken des eigentlichen Vorwurfs, welcher auch sonst
zu Bruegels Gepflogenheiten gehört. Das eine Mal sehen wir den Heiligen,
in die Ruhe nahe dem Walde zurückgezogen und nur von wenigen Spuk-
gestalten bedrängt, in dem Dunkel der mit rohen Brettern bedeckten Stein-
höhle des Einsiedlers, das andere Mal in den Lüften auf einem schwebenden
Fisch, heftig geplagt von teuflisch-tierischen Wesen. Was sonst an grotesk-
phantastischen Szenen in dieser schönen Natur zu erblicken ist, das spottet
buchstäblich der Beschreibung, vor allem weil wir dies alles heute ebensowenig im einzelnen zu deuten vermögen wie den höllischen Spuk in
Boschs Werken.

Der fortgeschrittene Stil des Landschaftlichen und die im wesentlichen tiefe und
kräftige Färbung lassen an eine Entstehung des Bildes etwa um 1558 denken.

5.

DIE VERTREIBUNG DER KRÄMER AUS DEM TEMPEL
Kopenhagen, Statens Museum for Kunst

Holz; 102 cm hoch, 156 cm breit. Nicht bezeichnet. Die Erhaltung
nicht tadellos. Als Werk Bruegels erkannt und veröffentlicht von
M. J. Friedländer.

Die Darstellung schließt sich in sehr freier Weise an die Erzählung des Evangeliums an, wobei das der Heiligkeit des Ortes
widersprechende geschäftliche Treiben besonders drastisch veranschaulicht wird. Aus der offenen Tempelhalle, auf deren rundem
Altar zwei Statuen stehen, deren eine ohne Zweifel Moses mit
den Gesetzestafeln ist, treibt Jesus die Käufer und Verkäufer
heraus, darunter die Wechsler mit ihren Geldbeuteln und ihren
Tischen; rechts ziehen sie mit ihren Tieren und ihren Säcken
aus dem Tempel neben einem Götzenbild vorbei; links treibt
ein Scharlatan sein Unwesen, dahinter sieht man einen Mann
am Pranger (vielleicht den Spielmann am Pranger, der auch
sonst bei Bruegel vorkommt, vgl. Taf. 10, Nr. 62); in der Mitte
gehen Krüppel und Bresthafte ihrem Verdienste nach; rechts im
Hintergrund erblickt man den Zug der Kreuztragung Christi,
die als ironisches Widerspiel der Vertreibung der Wechsler oder
gar als Vergeltung und Rache der banausischen Welt gedacht
sein könnte. Links an der Wand neben der Halle sieht man eine
seltsame Uhr mit dem aus einem menschlichen Arm gebildeten
Zeiger, der auf die Mitternachtsstunde hinweist, ein Motiv, das
uns auch auf Bruegels Wiedergabe der „Desidia" (der Trägheit)
(Abb. auf S. 8) aus der Folge der Sieben Laster begegnet
und ähnlich auch auf seinem Triumph des Todes (Taf. 12).

6.

DIE ANBETUNG DER KÖNIGE (IN TEMPERA)
Brüssel, Königliches Museum

Tempera auf Leinwand, 115·5 cm hoch, 163 cm breit.
Nicht bezeichnet. Hat durch Feuchtigkeit gelitten.
Bruegel hat denselben Gegenstand noch zweimal in ganz
anderer Auffassung behandelt, vgl. Taf. 21 und 32.
Die vorliegende Komposition ist ohne Zweifel die älteste
dieses Vorwurfs, bei dem hier mehr als irgendwo
in der vorangehenden niederländischen Malerei, mehr
noch als selbst in Hieronymus Boschs Triptychon im
Prado zu Madrid, hauptsächlich der starke Gegensatz
zwischen dem Reichtum der Heiligen Drei Könige mit
ihrem zahllosen Gefolge und der Armut der Geburts-
stätte und der Umgebung des Heilands hervorgehoben
wird. Auch das 17. Jahrhundert hat keine figuren-
reichere Darstellung desselben Gegenstandes aufzuweisen.

FLUSSLANDSCHAFT MIT EINEM SÄENDEN BAUER

Antwerpen, Sammlung F. Stuyck del Bruyère

Holz; 74 cm hoch, 102 cm breit. Bezeichnet rechts unten: BRVEGHEL 1557 (die ersten beiden Buchstaben des Namens und die erste Ziffer der Jahreszahl verrieben). Nicht tadellos erhalten. Zuerst von Max J. Friedländer erwähnt als ein „Landschaftsgemälde, das der Konstruktion und Stimmung nach übereinstimmt mit den Zeichnungen der Gebirgswelt, die Tolnai in seinem Bruegel-Buch überaus eindringlich interpretiert hat". Noch stärker als die Übereinstimmung mit den bekannten Handzeichnungen scheint uns die mit der gestochenen Serie der Großen Landschaften zu sein. Das Motiv, daß Vögel den von dem Bauer ausgestreuten Samen gleich aufpicken, paßt vortrefflich zu des Künstlers Vorstellung von der Verkehrtheit und Nutzlosigkeit menschlichen Tuns.

8.

LANDSCHAFT MIT DEM STURZ DES ICARUS

Brüssel, Königliches Museum

Tempera (anscheinend mit Überarbeitungen in Öltechnik) auf Leinwand; 73·5 cm hoch, 112 cm breit. Nicht bezeichnet.

Die Darstellung des Bildes schließt sich ziemlich genau an Ovids Erzählung in den Metamorphosen an. Selbst die hier erwähnten Nebenfiguren des Ackermanns, des Anglers und des Hirten fehlen nicht, und Bruegel hat der ersten davon, dem Bauer mit dem Pflug, noch einen Nebensinn gegeben, der durch den links im Gebüsch liegenden Leichnam eines Greises deutlicher gemacht wird: „Es bleibt kein Pflug stehen um eines Menschen willen, der stirbt", lautet ein deutsches Sprichwort. Der Hauptgegenstand wird aber nur durch die Gestalt des ins Meer gestürzten Icarus, von dem man rechts vorne die Beine aus dem Wasser ragen sieht, nicht mehr als angedeutet, wenn man die Ausführlichkeit der sittenbildlichen Figuren und der prachtvollen Landschaft dagegen hält. Auffallend ist, daß in dem vorliegenden Bilde die Figur des in der Höhe fliegenden Daedalus gänzlich fehlt und daß die Sonne, als wäre es Abend, am Horizont erscheint, während sie nach Ovids Erzählung hoch oben stehen müßte, um das Wachs von Icarus' Flügeln zum Schmelzen bringen zu können. In einem anderen unserer Meinung nach eigenhändigen Exemplar derselben Komposition, das sich gegenwärtig in der Galerie J. Herbrand zu Paris befindet, ist die Gestalt des in den Lüften schwebenden Daedalus erhalten, und die Sonne, die hier außerhalb der Bildfläche oben gedacht ist, sendet ihre verderblichen Strahlen in der Richtung des Icarus herab, wobei einzelne Federn, die er beim Sturz verloren hat, herabflattern. Diese Fassung scheint uns Bruegels ursprünglichen Gedanken wiederzugeben. — Der altertümliche Charakter der Komposition läßt uns an eine Entstehung bald nach der italienischen Reise des Künstlers, etwa um 1554—1558 denken.

Zum Sinn der Darstellung vergleiche man eine Stelle in Sebastian Brants Narrenschiff:

> „Hett Phaeton syn farren gelon
> Vnd Icarus gemächer gton,
> Vnd beid gfolgt jrs vatters rott,
> Sie wern nit jn der jugent dott."

DER STREIT DES KARNEVALS MIT DEN FASTEN

Wien, Gemäldegalerie im Kunsthistorischen Museum

Holz; 118 cm hoch, 164 5 cm breit. Bezeichnet links unten: B RVEGEL 1559.

Der merkwürdige Vorwurf dieses Bildes ist nicht von Bruegel selbständig erfunden, so eigenartig auch seine Behandlung des Themas ist, sondern geht auf ältere Überlieferungen zurück. Schon unter den niederländischen Leinwandbildern, welche im 15. Jahrhundert die Mediceer in Florenz besaßen, befand sich eines mit der allegorischen Figur der Fasten, welche von trinkenden und tafelnden Gestalten verspottet wird. Von Hieronymus Bosch besaß der spanische Hof im Jagdschloß zu Pardo ein größeres Gemälde „Karneval und Fasten", dessen Komposition noch in einem Grisaillebilde in der Sammlung Baron Thyssens erhalten geblieben ist.

Nur den Gegenstand allein hat Bruegel mit seinen Vorgängern gemein. Während Bosch sich auf eine verhältnismäßig geringe Zahl von Figuren beschränkt, gibt Bruegel ein förmliches Weltbild dieses Kampfes von voller Deutlichkeit und mit unzähligen erläuternden Szenen. Prinz Karneval, ein feister Geselle, reitet auf einem großen Faß, hat eine Pastete als Kopfschmuck und einen langen Spieß mit einem Schweinskopf und anderen guten Dingen als Waffe. Ihm gegenüber wird eine Verkörperung der Fasten, eine hagere alte Vettel mit einem Bienenkorb als Kopfschmuck und einer langstieligen Schaufel, auf der zwei Heringe liegen, von einem Mönch und einer Nonne auf einem Rollwagen, worauf ihr Sessel steht, herangezogen. Zu beiden Seiten sieht man das Gefolge, hier mit den üppigen, kräftigen Speisen der Karnevalszeit, dort mit der spärlichen, frugalen Nahrung der Fasten beschäftigt. Auch die Szenen des Mittel- und des Hintergrundes sind im allgemeinen so geteilt, daß die linke Hälfte das lustige, bunte Treiben des Karnevals, die rechte das stille, beschauliche Leben der Fastenzeit schildert. Schon die Begleiter der Figur des Karnevals tragen Masken und phantastische Gewänder. Unter dem zahlreichen Volk, das links Straßen und Plätze füllt, findet man Paare, die einen Reigen tanzen, einen Zug, der von einem Dudelsackpfeifer angeführt wird, einen bunt gekleideten Narren mit Fackel, Krüppel, eine Waffelbäckerei usw. Zwei Fastnachtsspiele werden im Freien aufgeführt: vor dem Wirtshaus zum blauen Schiffe, rechts vorne, ein Spiel von der „Häßlichen Braut", zumeist nach der irreführenden Aufschrift eines Stiches als die „Hochzeit von Mopsus und Nisa" nach Vergils Eklogen gedeutet, und vor dem Wirtshaus zum Drachen, weiter hinten, die „Geschichte von Urson und Valentin", noch heute als englisches Kindermärchen bekannt. Ein ganz verändertes Bild zeigt die rechte Hälfte. Schon die Trachten sind hier dunkler und weniger bunt. In die Kirche und aus der Kirche strömt das Volk, zum Teil Kirchenstühle tragend. Ein Bäckerladen, ein Fischmarkt, ein Brunnen, dieser im Gegensatz zu den Weinfässern und -krügen der linken Seite, deuten die vereinfachte Kost an. Jetzt ist auch die Zeit zu Werken der Barmherzigkeit: die auf der linken Seite des Bildes unbeachtet gebliebenen Krüppel werden nebst anderen Armen beschenkt und gelabt. Spielende Kinder beleben beide Teile des Gemäldes.

10

DIE NIEDERLÄNDISCHEN SPRICHWÖRTER

Berlin, Kaiser Friedrich-Museum

Auf Holz; 117 cm hoch, 163 cm breit. Bezeichnet rechts unten: BRVEGEL 1559.
Das Gemälde ist als ein Gesamtbild der Verkehrtheit der Welt zu deuten, veranschaulicht durch viele einzelne Narrheiten menschlichen Tuns. Das Haus links trägt über seiner Einfahrt als eine Art von Aushängeschild eine Weltkugel, deren Kreuz, die Verkehrtheit der Welt versinnbildlichend, nach unten statt nach oben gerichtet ist. Die zahlreichen sprichwörtlichen Szenen, welche die einzelnen Narrheiten verkörpern, sind in die Gebäude und Straßen eines phantastisch gebildeten Dorfes verstreut. „Das scheinbar Ungeordnete der Dorfanlage", sagt Wilhelm Fraenger, „fällt nicht im mindesten als störend auf. Wir nehmen es gutgläubig hin und überlassen uns dem Rätsel dieses Ortes mit jener staunenden Verwunderung und Neugierde, in der wir durch die abenteuerlichen Straßen geträumter Städte zu lustwandeln pflegen." Die einzelnen Szenen spielen gleichzeitig nebeneinander, aber durchaus unabhängig voneinander, ganz wie es der Zufall des wirklichen Lebens mit sich bringen könnte. Für die Deutung der sprichwörtlichen Redensarten hat nach der Vorarbeit von W. Fraenger Herr Jan Borms in Voorburg by Den Haag eine höchst dankenswerte, im folgenden benützte, vollkommen neue Bearbeitung zur Verfügung gestellt. Die Nummern entsprechen denen unseres Deckblattes:

1 Fladen wachsen auf dem Dach
2 Unterm Besen getraut
3 Da steckt der Besen raus (Die Meister sind nicht daheim)
4 Er sieht durch die Finger
4a Da hängt das Messer (Alte Herausforderung)
4b Auf Holzschuhen stehen (Vergebens warten)
5 Sie haben einander an der Nase
6 Er guckt in die Karten
6a Es hängt vom Fall der Karten ab
6b Die Würfel sind gefallen
7 Er sch.... auf die Welt
7a Zur verkehrten Welt
8 Aug um Aug (?)
9 Laß *ein* Ei im Nest
10 Er p... gegen den Mond
11 Er hat's dick hinter den Ohren
11a Sein Dach hat ein Loch
11b Ein altes Dach bedarf viel Ausbesserns
11c Das Dach hat Latten (Es gibt Lauscher)
12 Dort hängt der Topf heraus
13 Den Narren mit Seife barbieren
13a Es wächst aus dem Fenster heraus (Es kann nicht geheim bleiben)
14 Zwei Narren unter *einer* Kappe
15 Einen Pfeil nach dem anderen senden
16 Die beste Grete, die man fand, war, die den Teufel aufs Kissen band
17 Ein Pfeilerbeißer (Ein Scheinheiliger)
18 Sie trägt Wasser in der einen, doch Feuer in der andern Hand
19 Er brät den Hering un dem Rochen
20 Es hat mehr in sich, als ein leerer Hering
21 Er sitzt zwischen zwei Stühlen in der Asche
21a Was kann Rauch dem Eisen machen?
21b Die Spindeln fallen in die Asche (d.h. die Sache ist fehlgeschlagen)
22 Läßt man den Hund herein, so kriecht er in den Schrank
23 Hier zieht die Sau den Zapfen raus
24 Er rennt mit dem Kopf gegen d. Wand
25 Er ist in Harnisch gebracht
26 Er hängt der Katz die Schelle an
27 Bis an die Zähne bewaffnet
28 Ein Eisenfresser
29 Ungelegte Eier sind unsichere Küchlein
30 Er nagt immerzu an *einem* Knochen
31 Da hängt die Scher heraus (Sinnbild der Beutelschneiderei)

32 Er spricht aus zwei Mündern (Doppelzüngigkeit)
33 Der eine schert das Schaf, der andere das Ferkel
33a Viel Geschrei und wenig Wolle
33b Scher sie, aber schinde sie nicht
33c Geduldig wie ein Lamm
34 Die eine rocknet, was die andere spinnt (Üble Nachrede weitergetratscht)
35 Er trägt Licht mit Körben an den Tag
36 Für den Teufel eine Kerze anzünden
37 Beim Teufel zur Beichte gehen
38 Ein Ohrenbläser (Zuflüsterer)
39 Der Kranich hat den Fuchs zum Gast
39a Was nutzt ein schöner Teller, wenn nichts drauf ist?
39b Ein Schaumlöffel (d.h. Schmarotzer)
39c Es ist angekreidet (wird nicht vergessen)
40 Er schüttet den Brunnen zu, wenn das Kalb ertrunken ist
41 Er läßt die Welt auf dem Daumen tanzen
42 Es steckt ein Stock im Rad
43 Ich muß mich krümmen, will ich durch die Welt kommen
44 Er hängt Unserm Herrn einen flächsernen Bart an
45 Er wirft Rosen vor die Säue
46 Sie hängt ihrem Mann den blauen Mantel um (macht ihn zum Hahnrei)
47 Das Schwein ist durch den Bauch gestochen (Es ist unwiderruflich)
48 Zwei Hunde an einem Bein kommen selten überein
49 Er sitzt auf feurigen Kohlen
50 Der Spieß muß begossen werden
50a Mit ihm ist kein Spieß zu drehen
51 Er fängt die Fische mit den Händen (d. h. er ist ein Schlaumeier)
52 Er fällt durch den Korb
53 Er hängt zwischen Himmel und Erde
54 Sie greift nach dem Hühnerei und läßt das Gänseei fahren
55 Der mag lange gähnen, der den Ofen übergähnen will
56 Er kann von einem Brot zum andern nicht gelangen
57 Er sucht das Beilchen (Fauler Arbeiter)
57a Das Beil mit dem Stiel (d.h. das Ganze)
57b Eine Hacke ohne Stiel (d.h. etwas Unbrauchbares)
58 Wer seinen Brei verschüttet hat, kann nicht alles wieder aufraffen

59 Sie halten sich die Waage (Steigerspiel)
59a Er hält sich an
61 Er sitzt sich selber im Licht
62 Er spielt auf dem Pranger
63 Er fällt vom Ochsen auf den Esel
64 Es tut dem einen Bettler leid, daß der andere vor der Türe steht
64a Er kann durch ein Eichenbrett sehen, wenn ein Loch drin ist
65 Er reibt sich den H.....n an der Tür
66 Er küßt den Ring (d. h. er bezeugt übertriebene Ehrfurcht)
67 Er fischt hinter dem Netz
68 Große Fische fressen die kleinen
69 Ihn kränkt es, daß die Sonne ins Wasser scheint
70 Er wirft sein Geld ins Wasser
71 Zwei sch.....en durch ein Loch
71a Es hängt wie ein Sch... haus über einem Graben
72 Er schlägt zwei Fliegen auf *einen* Schlag
73 Sie guckt dem Storch nach
73a An den Federn erkennt man d. Vogel
74 Er hängt den Mantel nach dem Wind
75 Er schüttet die Federn in den Wind
76 Aus fremdem Leder schneidet man breite Riemen
77 Der Krug geht so lang zum Wasser, bis er bricht
78 Er faßt den Aal beim Schwanz
79 Es ist schwer, gegen den Strom zu schwimmen
80 Er hängt seine Kutte auf den Zaun
81 Er sieht die Bären tanzen (ihn hungert)
82 Er hat das Feuer am H.....n
83 Die Schweine laufen ins Korn (d.h. es geht alles verkehrt)
84 Es ist ihm gleich, wessen Haus brennt, wenn er sich nur an den Kohlen wärmen kann
84a Eine rissige Mauer ist bald zerrüttet
85 Vor dem Wind ist gut segeln
86 Er hat ein Auge im Segel (paßt auf)
87 Wer weiß, warum die Gänse barfuß gehen
88 Roßäpfel sind keine Feigen
88a Er schleift den Klotz
89 Angst macht das alte Weib traben
90 Er besch.... den Galgen
91 Wo das Aas liegt, fliegen die Krähen
92 Ein Blinder führt den anderen
92a Die Reise ist noch nicht zu End, Wenn man Kirch und Turm erkennt

11

DIE KINDERSPIELE

Wien, Gemäldegalerie im Kunsthistorischen Museum

Holz; 118 cm hoch, 161 cm breit. Bezeichnet rechts unten:
BRVEGEL 1560.

Eine ganze Stadt ist den Kindern für ihr Treiben überlassen worden, nirgends zeigt sich ein Erwachsener. Die Spiele sind wohl alle dieselben, die auch heute noch im Brauche sind, und erklären sich daher von selbst. Die Kinder verschiedenen Geschlechts spielen mit Steckenpferd, Kreisel, Windrädchen in verschiedenen Formen, mit Masken, beschäftigen sich mit Bockspringen, Stelzengehen, Huckepack- und Engeltragen, Gänsemarsch, Blindekuh, Kopfstehen, Reiten, Klettern, Baden. Die Mädchen bilden einen Hochzeitszug und haben ein Puppenhaus zur Verfügung.

Schon auf dem Bilde des Streits zwischen Karneval und Fasten spielen die Kinder eine Rolle, und Bruegel mag dadurch angeregt worden sein, sie einmal allein auftreten zu lassen. Andrerseits könnte er auch damit, worauf Dr. Erica Tietze-Conrat aufmerksam macht, die Darstellung eines der Lebensalter, der Kindheit (infantia), gemeint haben, als Anfang einer geplanten Gemäldeserie, deren Anzahl kaum zu bestimmen wäre, da die der Lebensalter zwischen zwei und zwölf schwankt. Eine mittlere Zahl wäre am ehesten anzunehmen, etwa die von sieben, in welche Shakespeares melancholischer Jacques in „Wie es euch gefällt" das Theater der Welt teilt.

12

DER TRIUMPH DES TODES
Madrid, Museo del Prado

Holz; 117 cm hoch, 162 cm breit. Nicht bezeichnet. Entstehungszeit etwa 1561 bis 1562.

Schon aus den Totentänzen des Mittelalters vermögen wir zu erkennen, welche Bedeutung der Gedanke an den Tod und seine Gestaltung als eines Skeletts für die bildende Kunst gehabt hat. Bei Bruegel ist daraus eine ganze Heerschar von Todesgestalten geworden, etwa wie die Engelschar des heiligen Michael oder das Teufelsgefolge Satans. In einer großartig öden Landschaft mit kahlen Hügeln, entlaubten Bäumen, stehenden Gewässern, ruinenartigen oder brennenden Bauten mit der Aussicht auf weitere ferne Brände und das Meer treiben unzählige Gerippe ihr Wesen bei den Klängen der Stundenglocken, die von zwei Skeletten angezogen werden, von Fanfaren, in die mit Leichentüchern bekleidete stoßen, und von zwei Pauken, die ein anderes schlägt. In einer an einem Gebäude links angebrachten Uhr dient ein weiteres Geripp als Zeiger, der auf den späteren Repliken deutlich auf die Mitternachtsstunde weist. Mit Pfeilen, Sensen, Hacken, Mühlsteinen, selbst mit Fangnetzen gehen die Skelette bald einzeln, bald in großen Gruppen gegen die hilflose Menschheit vor, unter der die verschiedensten Stände betroffen werden: ein König, ein Kardinal (merkwürdigerweise mit blauem Mantel), Mönche, Ritter, Edelleute, Landsknechte, Soldaten, Bürger und Bauern. Manche flüchten oder setzen sich verzweifelt zur Wehr. Ein Narr kriecht unter einen Tisch, Herren und Damen werden beim Festmahl überrascht, ein musizierendes Paar wird von einem Gerippe auf der Geige begleitet. Verbrecher hängen am Galgen, werden aufs Rad geflochten oder enthauptet, umflattert von Krähen. Totenköpfe werden in einem Wagen geführt. Um eine Kapelle am Strande schart sich eine Menge von Leidtragenden. Ein Schiff versinkt in der offenbar stillen See.

13

DIE TOLLE GRETE (»DULLE GRIET«)

Antwerpen, Musée Mayer van den Bergh

Holz; 115 cm hoch, 161 cm breit. Die Bezeichnung des Künstlers ist durch eine Überschmierung bei Gelegenheit einer älteren Restaurierung völlig undeutlich geworden. Die Jahreszahl glauben wir als M · D · LXII. lesen zu können.

Auch diese Darstellung hängt noch mit dem Gedankenkreis des Hieronymus Bosch zusammen, von dessen Hand es das Bild einer Hexe in spanischem Besitze gegeben hat. Der Ausdruck „Dulle Griet" (Tolle Margarete) bedeutet Megäre oder Xanthippe, eine Art von weiblichem Höllenbraten, und es ist bezeichnend, daß ein aus der Zeit Philipps des Guten stammendes Kanonenrohr am Freitagsmarkt zu Gent noch heute diesen Namen führt, wie auch schottische und irische Geschütze „Mad Meg" und „Roaring Meg" heißen. Auch die Bezeichnung „furia" in einem alten Inventar ist zutreffend, da ja Megaira eine der Erinyen ist. Es ist dasselbe böse Weib, das auch den Teufel auf ein Kissen zu binden weiß, eine Szene, die auf Bruegels Sprichwörterbild (Taf. 10, Nr. 16) vorkommt. Sie erscheint hier in der Hölle mit starrem Blick und zum Schreien geöffnetem Munde, kriegerisch bewaffnet mit Helm, Küraß, Schwert und Küchenmesser, am und unter dem Arm wie auch in der Schürze ihren Raub, darunter eine Geldkassette, tragend. Sie ist zugleich die Anführerin einer großen Schar von Weibern, die es verstehen, in gedrängtem Schlachtengewühl selbst mit den Teufeln der Hölle fertig zu werden. Zutreffend erinnert Max J. Friedländer an Redensarten wie: „Einen Raubzug tun an der Höllenpforte" oder: „Mit dem Degen in der Faust in die Hölle gehen"

14

DER STURZ DER GEFALLENEN ENGEL

Brüssel, Königliches Museum

Holz; 117 cm hoch, 162 cm breit. Bezeichnet links unten: M·D·LXII·BRVEGEL. Das Thema hängt mit der Darstellung des Jüngsten Gerichts zusammen, welche schon früh in der altniederländischen Malerei auftritt. Auch Hieronymus Bosch hat das Jüngste Gericht in einem Triptychon von gewaltigen Maßen dargestellt, wohl dem bedeutendsten Altarwerk seines Lebens, das er 1504 auf Bestellung Philipps des Schönen gemalt hat. Hier sah man auf dem das Paradies wiedergebenden linken Flügel in den Wolken unterhalb Gottvaters, der im Himmel thront, die gefallenen Engel, welche schon die Gestalt von Ungetümen zeigen und von dem heiligen Michael mit seiner Heerschar herabgestürzt werden. Eine ähnliche Darstellung zeigt der linke Flügel des „Heuwagens" von Bosch im Escorial. Bruegel, der selbst das Jüngste Gericht in einer 1558 entstandenen Zeichnungsvorlage (Wien, Albertina) zu einem Kupferstich von Peter van der Heyden behandelte, welche sich noch an die älteren Darstellungen, wie die des Bosch, anschließt, und der sich schon früher, wie wir gesehen haben, in dem Bilde des heiligen Michael (Taf. 3) mit der Episode des Engelsturzes beschäftigt hatte, möchte zu einer neuerlichen Behandlung dieses Vorwurfs vielleicht eine gewisse Anregung dadurch erhalten haben, daß Frans Floris, der damalige Modemaler Antwerpens, 1554 im Auftrage der Fechtergilde ein großes Altarwerk zu Ehren des heiligen Michael (das Mittelstück heute im Museum zu Antwerpen) für die Kathedrale seines Wohnortes geschaffen und damit offenbar Aufsehen erregt hatte. Den akademisch gebildeten, wenn auch vortrefflich gemalten nackten Körpern des Floris, der gerade in der Wiedergabe dieses Gegenstandes als Vorläufer des Rubens erscheint, setzt Bruegel — wahrscheinlich nicht ohne Absicht — etwas ganz anderes entgegen, etwas, das nicht der allgemeinen Strömung der damaligen Kunst entsprach, sondern, wenn auch an Älteres anknüpfend, eine durchaus neue und höchst eigenartige Anschauung desselben Vorwurfs darzubieten vermochte. Während bei Floris die Hauptfigur keineswegs hervortritt, steht bei Bruegel der heilige Michael im Mittelpunkt des Ganzen. Seine Gestalt in ihrer gleißenden Rüstung ist schlank, ja fast überzart. Sie zeigt in der Reihe von Bruegels Bildern zum ersten Male jene überlangen Verhältnisse, die bei seinen Idealgestalten von der Zeichnung des „Christus im Limbus" aus dem Jahre 1561 an zur Regel wurden und bezeichnende Merkmale seines ihm allein eigenen „Manierismus" bilden, der schon an den Grecos und den des frühen Rubens gemahnt. Auch hier ist der heilige Michael als Führer seinen Begleitern vorangeeilt und steht — wie in jenem frühen Gemälde auf der Erde — hier kämpfend auf den Leibern des phantastisch gebildeten, zahllosen höllischen Geschmeißes, das aus dem geöffneten Himmel herabsinkt, gejagt von einer kleinen Schar von Engeln, die es mit Schwertern und Lanzen bekämpfen und in die Posaunen des Jüngsten Gerichts stoßen.

ZWEI AFFEN
Berlin, Kaiser Friedrich-Museum

Holz; 20 cm hoch, 23 cm breit. Bezeichnet links unten:
BRVEGEL · MDLXII.
Ob dieser Darstellung von zwei Affen, die, an ihre Ketten
gebunden, in einer Fensteröffnung mit der Aussicht über
die Schelde auf Antwerpen sitzen, ein besonderer Sinn,
etwa der einer sprichwörtlichen Redensart, untergelegt
werden muß oder ob es sich dabei um eine Gelegenheits-
arbeit handelt, wobei der Künstler die ihm gehörenden
Tiere wiedergegeben haben könnte, läßt sich kaum ent-
scheiden. Da die Stadt im Hintergrund ohne Zweifel
Antwerpen ist, mag Bruegel freilich dabei an seine lieben Mitbürger gedacht haben, etwa in dem Sinne des
„Affen von Heidelberg", der einst auf der Neckarbrücke
als Wahrzeichen mit den folgenden Reimen stand:

> „Was thust du mich hier angaffen?
> hast du nicht gesehen den alten Affen?
> zu heidelberg sieh dich hin u. her
> da findest du wohl meines gleichen mehr."

16.

DER SELBSTMORD SAULS
Wien, Gemäldegalerie im Kunsthistorischen Museum

Holz; 33·5 cm hoch, 55 cm breit (oben 4 cm, unten 1 cm falsch ange-
stückt). Bezeichnet links unten: SAUL·XXXI CAPIT und daneben:
BRVEGEL·M·CCCCC·LXII.

Bruegel hält sich in der Darstellung dieses in der Malerei höchst
seltenen Vorwurfs getreu an die Erzählung des Alten Testaments, im
31. Kapitel des I. Buches Samuelis (vgl. auch 1. Chron. 11, 1): „Die
Philister aber stritten wider Israel; und die Männer Israels flohen vor
den Philistern und fielen erschlagen auf dem Gebirge Gilboa. Und die
Philister hingen sich an Saul und seine Söhne, und schlugen Jonathan
und Abi-Nadab und Malchisua, die Söhne Sauls. Und der Streit ward
hart wider Saul, und die Schützen trafen auf ihn mit Bogen, und ward
sehr verwundet von den Schützen. Da sprach Saul zu seinem Waffenträger: Ziehe dein Schwert aus, und erstich mich damit, daß nicht diese
Unbeschnittenen kommen und mich erstechen, und treiben einen Spott
aus mir. Aber sein Waffenträger wollte nicht, denn er fürchtete sich
sehr. Da nahm Saul das Schwert, und fiel darein. Da nun sein Waffenträger sahe, daß Saul tot war, fiel er auch in sein Schwert, und starb
mit ihm. Also starb Saul und seine drei Söhne, und sein Waffenträger, und alle seine Männer zugleich auf diesen Tag." In Bruegels
Bild sieht man rechts das Kampfgewühl der beiden Heere, links auf
einer felsigen Anhöhe den von seinem eigenen Schwert durchbohrten
Saul und daneben den Waffenträger, der sich in sein Schwert stürzt.

LANDSCHAFT MIT DER FLUCHT NACH ÄGYPTEN

London, Sammlung des Grafen Antoine Seilern

Holz; 37·1 cm hoch, 55·4 cm breit. Bezeichnet rechts unten: BRVEGEL . . . D. L. XIII. Erst 1939 im Nachlaß von Mrs. Frank Holbrooke, Bladon Castle, Burton-on-Trent, England, wiedergefunden, vom Verfasser noch vor der Entdeckung der obigen, damals unter einem schweren Firnis unsichtbaren Künstlerbezeichnung als Werk des Meisters anerkannt und in demselben Jahre von dem gegenwärtigen Besitzer auf einer Londoner Versteigerung erworben. Dasselbe Gemälde ist offenbar schon 1607 im Hause Granvella zu Besançon nachweisbar, welches das Erbe des bekannten Kardinals gleichen Namens, eines warmen Verehrers Bruegels, enthielt; wahrscheinlich ist es auch mit einem in Rubens' Nachlaß angeführten Bilde identisch.

Der Gegenstand der Flucht der Heiligen Familie nach Ägypten kommt in der ersten Hälfte des 16. Jahrhunderts in der deutschen Malerei häufig vor und auch nicht selten in der niederländischen, so besonders bei Bruegels Vorgängern Hieronymus Bosch und Joachim de Patinier, freilich in ganz anderer Auffassung. Bruegel bietet hier etwas ganz Neues, ihm allein Eigenes: er läßt die Heilige Familie auf einer Anhöhe ganz im Vordergrund erscheinen und sich nach einer weit ausgedehnten Landschaft hin wenden, die mit ihrem Reichtum an Felsen, Bäumen, Gewässer, Bauten völlig zur Hauptsache wird und in ihrer großartigen Anlage schon die Monatsbilder (Nr. 22—26) aus dem Jahre 1565 vorahnen läßt. Dabei ist die malerische Behandlung wesentlich zarter, wenn auch nicht weniger reich, und sie macht den besonderen Reiz dieses köstlichen Stückes aus.

18

DER TURMBAU ZU BABEL

Wien, Gemäldegalerie im Kunsthistorischen Museum

Holz; 114 cm hoch, 155 cm breit. Bezeichnet auf einem der Quadersteine links von der Mitte: · BRVEGEL · FE · M · CCCCC · LXIII.

Der Gegenstand des Bildes tritt schon im 15. und 16. Jahrhundert in der französischen und niederländischen Malerei auf. Auch manche Zeitgenossen und viele Nachfolger Bruegels haben dasselbe offenbar sehr beliebte Thema behandelt. Er selbst hat dies schon früher getan in einem auf Elfenbein gemalten Bilde, das sich, offenbar 1553 gemalt, 1577 im Nachlasse des Miniaturmalers Giulio Clovio befunden hat und heute verschollen ist, und in einem kleineren Ölgemälde, das ebenso wie das große des Kunsthistorischen Museums zur Sammlung Kaiser Rudolfs II. gehört hat und wahrscheinlich mit dem im Besitze D. G. van Beuningens in Rotterdam identisch ist. In der Wiedergabe der mannigfaltigen Arbeiten an dem gewaltigen Bau zeigt Bruegel ein ganz besonderes sachliches und technisches Interesse, das uns daran erinnert, daß er einige Jahre später vom Brüssler Stadtrat den Auftrag erhielt, in mehreren Gemälden das Graben des Kanals zwischen Brüssel und Antwerpen darzustellen, einen Auftrag, der durch den Tod des Meisters nicht zur Ausführung gelangte. Die Ansicht der ausgedehnten Stadt hinter dem mächtigen Gebäude erinnert mit ihrem Häusermeer und dem fernen Aquädukt an den Hintergrund jenes Bildes der Vertreibung der Krämer aus dem Tempel (Taf. 5), wo freilich die Größe der räumlichen Anschauung noch nicht erreicht scheint. Links im Vordergrund sieht man, umgeben von seinem Gefolge und den Architekten, den Bauherrn selbst, einen König, in dem Nimrod zu erkennen ist.

Mit der Sprachverwirrung hat Bruegels Turmbau wohl kaum viel zu tun, sondern er dient ihm vielmehr als ein Sinnbild der verkehrten Welt, der Überhebung und der Unzulänglichkeit menschlichen Tuns, etwa im Verstande von Brants Narrenschiff:

> „Nemroth wolt buwen hoch jn lufft
> Eyn grossen thurn für wassers klüfft,
> Und schlůg nit an das jm zů swär
> Sin buwen vnd nit möglich wär."

19

DIE KREUZTRAGUNG CHRISTI

Wien, Gemäldegalerie im Kunsthistorischen Museum

Holz; 124 cm hoch, 170 cm breit. Bezeichnet rechts unten: BRVEGEL MD·LXIIII. Bruegels anachronistische Auffassung und Darstellung dieser Szene der Passion als einer Hinrichtung im Gewande der jeweiligen Gegenwart geht auf ältere Vorbilder zurück, die bis in die Zeiten der Van Eyck reichen. Sein eigentlicher Vorläufer ist hierin der eigenartige Jan van Amstel, genannt de Hollander, der sogenannte „Braunschweiger Monogrammist", und auf demselben Wege finden wir Herri met de Bles und Pieter Aertsen. Aber auch hier macht erst Bruegel nach solchen Vorstufen aus demselben Gegenstande ein umfassendes Bild des menschlichen Lebens. In einer weiten, sonnigen, hügeligen Landschaft bewegt sich zahlreiches Volk, das durch die Aussicht auf das Schauspiel einer Hinrichtung herausgelockt worden ist. Durch die Menge hindurch strömt — im Mittelgrunde — unter dem Geleite rotröckiger berittener Soldaten der Zug, der die Verurteilten zu der rechts auf einer mäßigen Erhöhung gelegenen Richtstätte bringt, welche durch Galgen und Radstangen als solche bezeichnet ist. Erst nach einigem Zusehen entdeckt man in der Mitte des langen Zuges, zugleich der des ganzen Bildes, die Hauptfigur des unter dem Kreuze zusammenbrechenden Heilands. Weiter vorne im Zuge werden die beiden Schächer, begleitet von einem Geistlichen, auf einem einspännigen Karren geführt. Alles eilt dem Richtplatze zu, um den sich schon ein Kreis besonders eifriger Zuschauer gebildet hat. Das übrige Volk, unter dem man viele Frauen und Kinder bemerkt, strömt aus der Stadt im Hintergrunde heraus, läuft in der gleichen Richtung, drängt und stößt sich, wird hier und da von den zahlreichen Soldaten zur Ordnung verwiesen, rastet und lagert gelegentlich; immer ist es aber munter und nimmt frohgemut und unempfindlich an dem traurigen Vorgang wenig Anteil, es sucht Unterhaltung und Vergnügen, nicht Leiden oder gar Erhebung. Es ist die verkehrte Welt, die sich auch um ihren Herrn nicht schert. Im stärksten Gegensatze dazu steht die Gruppe der wirklichen Leidtragenden, die sich auf eine Anhöhe des felsigen Bodens rechts vorne zurückgezogen haben: Maria ist in sich zusammengebrochen, wird von dem heiligen Johannes dem Evangelisten gestützt und ist umgeben von den trauernden heiligen Frauen. Diese Gestalten haben nichts von der realistischen Bildung der übrigen Figuren des Bildes an sich, sie zeigen mit ihren langgestreckten Verhältnissen und in ihrer zeitlos gedachten Gewandung jenen Typus, welchen Bruegel, wie wir gesehen haben, sich für seine Idealfiguren zurechtgelegt hat.

20

DER TOD MARIÄ (GRISAILLE)

Richmond Park, Sammlung Viscount Lee of Fareham

Holz; 36 cm hoch, 54·5 cm breit. Bezeichnet rechts unten: BRVEGEL, darunter Spuren einer nicht mehr lesbaren Jahreszahl.

Das kleine Bild hat Bruegel für den mit ihm befreundeten, berühmten niederländischen Geographen Abraham Ortelius (1522—1598) gemalt, und dieser hat es für sich und seine Freunde, wohl noch im Einverständnis mit dem Maler selbst, von Philips Galle stechen lassen. Der Inhalt der dem Kupferstiche beigefügten Verse dürfte nicht nur für die Auffassung des Bestellers, sondern auch für die Bruegels selbst bezeichnend sein, weshalb wir ihn in deutscher Übersetzung wiedergeben: „Als Dich, Jungfrau, nach dem Gebiete Deines eingeborenen Sohnes verlangte, welche Freuden erfüllten da Deine Brust! Was erschien Dir süßer, als aus diesem irdischen Kerker zu wandern nach den hohen Tempeln des erwünschten Reiches! Als Du die heilige Menge verließest, deren Schutz Du gewesen warst, wie traurig und zugleich wie froh sah Dich Deines Sohnes und Deine fromme Anhängerschar scheiden! Was war ihr erfreulicher, als daß Du herrschtest, was betrüblicher, als daß sie Deines Antlitzes entbehren sollte! Der Rechtschaffenen frohe Gebärden und Mienen der Wehmut zeigt die von Künstlerhand gemalte Tafel."

Bruegel hat sich mit seiner Darstellung zur Verehrung Mariens bekannt. Dies beweist nicht nur der Inhalt dieser Verse, sondern auch die Liebe, mit der er sich in den Gegenstand versenkte, der vor ihm schon so oft in der niederländischen Malerei behandelt worden war. Die Anzahl der Leidtragenden ist bei ihm nicht mehr auf die der zwölf Apostel beschränkt, sondern eine sich drängende Schar von mehr als dreißig Teilnehmenden umgibt das Lager der Hinscheidenden, woran zu erkennen ist, daß es sich nicht um eine beliebige Person handelt, sondern um eine, die vielen etwas gegolten hat. Eine Frauengestalt, offenbar Magdalena, richtet der Sterbenden das Kissen, ein Greis, ohne Zweifel Petrus, reicht ihr die brennende Totenkerze. Ein Mönch rechts vorne läutet das Stundenglöcklein. Ihm gegenüber, links vorne, sehen wir einen Jüngling, in dem wir Johannes den Evangelisten zu erkennen glauben, der sich, von Krankenpflege und Nachtwachen erschöpft, am Kamin niedergelassen und die Todesstunde der von ihm innigst verehrten Mutter Gottes versäumt hat, um mit Wehmut und Schrecken darüber zu erwachen — ein feiner Zug der bitteren Ironie des Lebens und des Schicksals, wovon Bruegel zu erzählen liebt. Das zarte Helldunkel, nur durch die bescheidenen Mittel der Malerei grau in grau wiedergegeben und durch vier Lichtquellen hervorgerufen, läßt Rembrandts Ausdrucksweise vorausahnen. Es ist die einzige Grisaille von Bruegels Hand, die uns erhalten geblieben ist; er hat deren mehrere geschaffen und damit Rubens und Van Dyck die Anregung für die in ihren Werkstätten ausgeführten Kupferstichvorlagen gegeben.

21

DIE ANBETUNG DER KÖNIGE
London, National Gallery

Holz; 108 cm hoch, 83 cm breit. Bezeichnet rechts unten: BRVEGEL. MD·LXIIII. Von der frühen Darstellung desselben Vorwurfs im Brüssler Museum (Taf. 6) ist die vorliegende ganz und gar verschieden, vor allem durch die starke Beschränkung der Anzahl der Figuren und durch das hohe Format, das auffällt, weil es bei Bruegels Gemälden höchst selten vorkommt. Diese Eigentümlichkeiten möchten wir nicht, wie angenommen worden ist, durch eine bestimmte Bestellung zu erklären suchen. Sie scheinen uns vielmehr durch den Willen des Künstlers selbst entstanden zu sein, der einmal eine andere Form wählen wollte; sie liegen aber auch auf dem Entwicklungswege des Meisters. Es ist eine feine Beobachtung Georges Hulin de Loos, daß wir hier zum ersten Male bei einem Gemälde von Bruegel der Neigung nach Einheit der Handlung begegnen, wie etwa noch bei seinen Kompositionen „Christus und die Ehebrecherin", „Der Tod Mariä" (Taf. 20) und „Die Auferstehung Christi", welchen sämtlich Grisaillen zugrunde zu liegen scheinen, von denen nur *eine* mehr erhalten ist. Gerade mit der „Auferstehung Christi" hat das vorliegende Gemälde auch das hohe Format gemein, und beide Werke scheinen mit ihrer bewegten und doch geschlossenen Anlage und ihren über- langen Gestalten, welche wir zuerst in dem „Engelsturz" aus dem Jahre 1562 im Brüssler Museum (Taf. 14) kennengelernt haben, mit Sicherheit zu beweisen, daß Bruegel an dem Stil der italienischen Manieristen seiner Zeit, wie etwa des Parmeg- gianino, nicht unberührt vorbeigegangen ist. Trotz der verhältnismäßig ruhigen Kom- position, die fast an die „sante conversazioni" erinnert, „wirkt Bruegels Bild ganz und gar unitalienisch, was hauptsächlich auf einer unitalienischen Auffassung der geschilderten Vorgänge beruht". „In der Darstellung der psychischen Momente", sagt Max Dvořák, der überhaupt über das vorliegende Werk das Zutreffendste und Schönste gesagt hat, „liegt vielleicht der auffallendste Zug des Gemäldes. Der Grundton ist ein plumpes, dumm starrendes Erstaunen. Zu dem Gaffen gesellt sich jedoch ein höheres Gefühl, eine scheue Feierlichkeit und halb unbewußte Devotion, die sich mehr in dem befangenen Stillsein und Aufgeben des gewohnten Lärmens als in Gesten und starken Empfindungen äußert — ähnlich beteiligt sich das Volk am sonntäglichen Gottesdienste. Auch auf die Heiligen Drei Könige wirkt, nur graduell verschieden, dieses Massenemp- finden, als dessen Wortführer sie erschienen. Sie sind diametral entfernt von allem Pathos, von jeder heroischen Pose und subjektiven Emphase. Ihre Adoration ist schwer- fällig und linkisch, wie die von Dorfministranten; man könnte darüber lächeln, wenn nicht gerade in dieser derben Primitivität das Echte und Überzeugende enthalten wäre."

DIE JÄGER IM SCHNEE

Wien, Gemäldegalerie im Kunsthistorischen Museum

Holz; 117 cm hoch, 162 cm breit. Bezeichnet unten in der Mitte: BRVEGEL·M·D·LXV. Das vorliegende Stück gehört offenbar mit den vier auf den nächsten Tafeln abgebildeten zu einer Folge. Zumeist wird angenommen, daß in diesen fünf Gemälden eine unvollständige Folge von Monatsbildern zu erkennen ist. Eine Reihe von sechs Bildern mit den Darstellungen der zwölf Monate erhielt der damalige Statthalter der Niederlande Erzherzog Ernst 1594 von der Stadt Antwerpen zum Geschenke, und es ist wahrscheinlich, daß es sich dabei um die gleichen fünf Gemälde und ein sechstes verschollenes gehandelt habe, wobei zu beachten wäre, daß die Serie mit dem Osteranfang der damaligen Zeitrechnung, also mit den Monaten März und April, hätte beginnen müssen (Taf. 23). Das verschollene vorletzte Stück der Reihe hätte dann die Monate November und Dezember enthalten.

In der vorliegenden Winterlandschaft mit dem schweren, grauen Himmel, den dunklen Umrissen der Jäger, der Hunde, der Bäume und der Krähen, welche sich von dem Weiß des Schnees abheben, mit den vor einem Wirtshaus „zum Hirschen" am offenen Feuer etwas abbrühenden Landleuten, mit der tiefgrauen Eisfläche, auf welcher sich in der Ferne Schlittschuhläufer tummeln, glaubt man den Februar zu erkennen, den Monat, welchem schon in den Kalenderbildern der illuminierten Handschriften, wie z. B. des Gebetbuches des Herzogs von Berry in Chantilly aus dem Anfange des 15. und des Breviariums Grimani in Venedig aus dem Anfange des 16. Jahrhunderts, die Schneelandschaft zukommt. Nimmt man eine Darstellung von zwei Monaten in jedem Bilde an, so müßte in diesem letzten der Serie Januar und Februar zu erkennen sein.

23.

DER DÜSTERE TAG

Wien, Gemäldegalerie im Kunsthistorischen Museum

Holz; 118 cm hoch, 163 cm breit. Bezeichnet links unten: BRVEGEL MDLXV. Vgl. unsere Bemerkung zu Taf. 22.

In dieser dunkeln Landschaft mit dem trüben, von Wolken durchzogenen Himmel, den noch mit Schnee bedeckten Bergen, dem stürmischen Meere, in dem Schiffe kämpfen, den kahlen Bäumen möchte am ehesten ein Bild des Vorfrühlings zu erkennen sein: vielleicht ist der Monat März gemeint. Bei der Annahme zweimonatiger Darstellung wäre an März und April zu denken.

DIE HEUERNTE
Raudnitz, Sammlung des Fürsten Lobkowitz

Holz; 114 cm hoch, 158 cm breit. Nicht bezeichnet.
Vgl. unsere Bemerkung zu Taf. 22.

Im Mittelgrunde wird in der ganzen Breite des Bildes
auf einer langgestreckten Wiese Heu gerecht, zu Haufen
gesammelt und auf den Wagen aufgeladen. Links schärft
ein Bauer seine Sense, drei Bauernfrauen schreiten mit
ihren Rechen einher, rechts bringen Bauern und
Bäuerinnen Gemüse und Früchte, darunter Kirschen,
teils auf einem Wagen, teils in Körben in das nahe Dorf.
Wahrscheinlich ist mit dem Bilde der Juni, die Zeit der
Heuernte, gemeint. Bei der Annahme zweimonatiger Darstellung aber müßte es sich um Mai und Juni handeln.

DIE KORNERNTE
New York, Metropolitan Museum of Art

Holz; 117 cm hoch, 160 cm breit. Bezeichnet rechts unten: BRVEGEL, darunter Reste einer Jahreszahl, von der nur die letzten Ziffern ... LXV noch deutlich erkennbar sind. Vgl. unsere Bemerkung zu Taf. 22.

Hier wird während des Kornschnitts und des Sammelns der Garben, womit nur wenige Leute noch beschäftigt sind, die Mittagspause gemacht: unter dem Schatten eines Baumes lagern die Landleute beiden Geschlechtes und laben sich an Brot, Milch und Wasser; ein Bauer hält schon ein Mittagsschläfchen, ein anderer kommt zwischen den tiefen Kornfeldern hervor und bringt einen Krug frischen Getränks. Das Bild verkörpert wohl den Monat Juli, die Zeit des Kornschnitts. Bei der Annahme zweimonatiger Darstellung müßten Juli und August gemeint sein.

26.

DIE HEIMKEHR DER HERDE

Wien, Gemäldegalerie im Kunsthistorischen Museum

Holz; 117 cm hoch, 159 cm breit. Bezeichnet links unten:
BRVEGEL MDLXV. Vgl. unsere Bemerkung zu
Taf. 22.

Mit Stangen werden die Rinder von den Hirten, deren
Führer beritten ist, in das heimatliche Dorf zurück-
getrieben. Im Mittelgrunde sieht man das Netz eines
Vogelfängers, an den Abhängen, die zum Fluß herab-
führen, einen Weinberg, in dem Winzer arbeiten, und
daneben — ein wohl von Bruegel beabsichtigter spötti-
scher Zug — eine Richtstätte mit Galgen und Rädern.
Die kalte Luft und der schneidende Wind, die aus
der hellen Stimmung des Bildes uns entgegenzuströmen
scheinen, die ganz entlaubten Bäume sprechen, ebenso
wie die Heimkehr der Rinder und die Arbeiten im
Weinberge, für den Spätherbst: nach der allgemeinen
Annahme wäre hier der Monat November dargestellt.
Dieselben Argumente könnten aber auch für den
Oktober gelten, und im Falle der Annahme zweimonatiger Darstellung wäre dann bei vorliegendem Bild
an die Monate September und Oktober zu denken.

DER HOCHZEITSTANZ IM FREIEN
Detroit, Institute of Arts

Holz; 119 cm hoch, 157 cm breit. Rechts unten die Jahreszahl: ·M·D·LXVI. Das Bild hat durch Verreibung und Übermalung gelitten. Zuerst von Wilhelm R. Valentiner veröffentlicht.

Auf diesem Gemälde hat die Braut ihren Sitz, der noch durch die darüberhängende Krone bezeichnet ist, schon verlassen, sich unter die Tanzenden gemischt und ist, etwa in der Mitte der Komposition, in der jungen Frau zu erkennen, welche einen kranzartigen Kopfschmuck trägt, nicht die weiße Haube der übrigen Bauernweiber. Ob der Bräutigam ihr Partner ist, bleibt fraglich; er spielt auch sonst auf Bruegels Hochzeitsdarstellungen eine geringe Rolle und ist meist als solcher nicht mit Sicherheit erkennbar. — In dem Reichtum der Komposition und in der perspektivischen Anordnung der zahlreichen Personen und Gruppen des bewegten Festes ist das Gemälde in Detroit früheren Wiedergaben desselben Themas wesentlich überlegen und stellt ohne Zweifel die endgültige Fassung dar. In den daran anklingenden Bildern des Hochzeitsmahls und des Bauerntanzes im Kunsthistorischen Museum zu Wien (Taf. 42 und 43) gelangt Bruegel — am Ende seines Lebens — zu einer noch mehr geschlossenen Vereinfachung und Einheitlichkeit des Ganzen.

28

DIE VOLKSZÄHLUNG ZU BETHLEHEM
Brüssel, Königliches Museum

Holz; 117 cm hoch, 164·5 cm breit. Bezeichnet rechts unten:
BRVEGEL 1566.

Der Vorwurf dieses Bildes, der vor Bruegel kaum in der bildenden
Kunst, wohl aber nach Georges Hulin in den Mysterien vorkommt, geht
auf den Anfang des zweiten Kapitels des Lucas-Evangeliums zurück:
„Es begab sich aber zu der Zeit, daß ein Gebot vom Kaiser Augustus
ausging, daß alle Welt geschätzt würde. Und diese Schatzung war die
allererste, und geschah zu der Zeit, da Cyrenius Landpfleger in Syrien
war. Und Jedermann ging, daß er sich schätzen ließe, ein Jeglicher in
seine Stadt. Da machte sich auch auf Joseph aus Galiläa, aus der Stadt
Nazareth, in das jüdische Land, zur Stadt Davids, die da heißt Bethlehem,
darum, daß er von dem Hause und Geschlecht Davids war, auf daß
er sich schätzen ließe mit Maria, seinem vertrauten Weibe. Die
war schwanger." Es handelt sich offenbar um eine Meldung zum
Zwecke der Volkszählung, zugleich zu dem der Einschätzung und
Einhebung einer Steuer. Der Ort Bethlehem erscheint Bruegel als ein
niederländisches Dorf in dem gewohnten winterlichen Treiben:
die Einwohner sind mit Schweineschlachten, Holzführen, Schnee-
fegen und ähnlichen Dingen beschäftigt, die Kinder, die auch hier
wieder eine große Rolle spielen, werfen Schneeballen, schlittern und
rutschen auf dem Eise, treiben den Kreisel usw. In einem Wirtshaus „zum grünen Kranze" links hat sich, wie bei den Soldaten-
konskriptionen unserer Zeit, die behördliche Kommission mit ihren
Schriften und Büchern niedergelassen, und hier drängt sich das Volk
zur Anmeldung. Dahin sucht seinen Weg an Faßwagen vorbei der
heilige Josef zu finden, der an der Leine den Ochsen und den Esel
führt, auf dem die dichtverhüllte, schonungsbedürftige Maria sitzt;
auch Josef wird bald die Schar der „sich Anstellenden" vermehren.

29

DER BETHLEHEMITISCHE KINDERMORD
Wien, Gemäldegalerie im Kunsthistorischen Museum

Holz; 111 cm hoch, 160 cm breit. Bezeichnet rechts unten:
BRVEG...

Der Bethlehemitische Kindermord begegnet uns auch *vor* Bruegel
in der Geschichte der Kunst; allein, es ist ohne Zweifel ein
Einfall seiner eigenen Laune, den Stoff seinen Landsleuten dadurch nahezubringen, daß er nicht nur die Bauern, Bäuerinnen
und Soldaten in die Tracht seiner Zeit kleidet, sondern auch,
noch weitergehend, die Szene in ein niederländisches Dorf in
winterlichem Gewande verlegt. Für ihn als Nordländer bedeutet
die Weihnachtszeit Frost und Schnee, und so läßt er, ohne
sich weiter zu bedenken, die evangelischen Vorgänge der
Volkszählung in Bethlehem (Taf. 28), des Kindermordes, der
Anbetung der Könige (Taf. 32) in der Kälte des niederländischen Winters spielen. Ob die Volkszählung und der Kindermord als Gegenstücke gedacht sein könnten, bleibt fraglich,
weil bei Bruegels Gewohnheit das gleiche Format nicht viel
bedeutet und weil die beiden Stoffe den sich fast widerspre-
chenden Erzählungen der Evangelien Matthäi und Lucä entnommen sind. Hat Bruegel bei dem Kindermord an die Gewalt-
taten der spanischen Soldateska in seiner Heimat gedacht? Den
modernen Beschauer erinnert die Gestalt des finsteren Befehls-
habers der gewappneten Reiter an die des so oft als grimmig
geschilderten Herzogs von Alba, der aber, wenn wir mit der
zeitlichen Ansetzung des Bildes um 1566 recht haben, erst ein
Jahr später seinen Einzug in die Niederlande halten sollte.

JOHANNIS BUSSPREDIGT

Budapest, Museum der bildenden Künste, Leihgabe der fürstlichen
Familie Batthyány

Holz; 95 cm hoch, 160·5 cm breit. Bezeichnet rechts unten:
BRVEGEL·M·D·LXVI.

Der behandelte Gegenstand kommt in der niederländischen Malerei schon
seit dem Anfang des 16. Jahrhunderts häufig vor, so noch bei einem von
Bruegels Vorgängern, dem Landschaftsmaler Herri met de Bles. Die
reichste Ausbildung hat er aber erst durch Bruegel erhalten, der dazu
vielleicht durch die in seiner Zeit zahlreichen, stark besuchten öffent-
lichen Predigten der reformierten Gemeinden unter freiem Himmel
besonders angeregt worden sein mochte. Schiller hat sie in einem eigenen
Kapitel seiner Geschichte des Abfalls der Vereinigten Niederlande von
der spanischen Regierung sehr anschaulich geschildert. Männer und
Weiber, diese auch mit ganz kleinen Kindern, aus allen Klassen und
Ständen strömten von allen Seiten zu diesen Versammlungen zusammen.
„Ein großer Teil wurde von diesen Predigten wie von lustigen Komö-
dien angezogen, in welchen der Papst, die Väter der trientischen Kirchen-
versammlung, das Fegfeuer und andere Dogmen der herrschenden
Kirche auf eine possierliche Art heruntergemacht wurden. Je toller
dieses zuging, desto mehr kitzelte es die Ohren, und ein allgemeines
Händeklatschen, wie im Schauspielhause, belohnte den Redner, der es
den andern an abenteuerlicher Übertreibung zuvorgetan hatte." Ähnlich läßt Bruegel den Täufer, ohne damit irgend eine Kritik zu üben,
unter einer solchen zusammengelaufenen, aufmerksamen Menschen-
menge auftreten, die sich aus Bürgern, Handwerkern, Bauern, Zigeunern
beiderlei Geschlechts, dazu auch Mönchen, von denen einer sogar durch
ein in sein graues Gewand eingesticktes T als Angehöriger der Antonius-
Brüderschaft bezeichnet wird, in sehr bunter Weise zusammensetzt.
Um besser zu hören, klettern Jungen auf Bäume. Unter den Anwesenden fällt ein einziger als Angehöriger höherer Stände in der
Tracht der damaligen Mode auf: der Mann, der sich etwa in der
Mitte der Darstellung von einem phantastisch gekleideten Zigeuner
aus der Hand wahrsagen läßt. Es ist der einzige völlig bildnis-
mäßige Kopf des ganzen Gemäldes. Sollte hier Bruegel zum Scherz
einen seiner Freunde verewigt haben, etwa eben jenen Nürnberger
Kaufmann Hans Franckert, der nach Van Mander sich in Bruegels
Begleitung gerne heimlich unter das Volk gemengt haben soll?

WINTERLANDSCHAFT MIT EISLÄUFERN UND VOGELFALLE

Brüssel, Sammlung Docteur F. Delporte

Holz; 38 cm hoch, 56 cm breit. Bezeichnet rechts unten:
BRVEGEL · M · D · LXV.

Neben den Winterbildern mit biblischen Vorwürfen (Taf. 28, 29,
32) und dem einen Stücke der Monatenfolge (Taf. 22) spielt die
vorliegende Komposition, deren Großartigkeit der Anlage über
das kleine Format hinauszugehen scheint, als reine Landschaft
eine nicht unbedeutende Rolle im Schaffen Bruegels, der nach
den Quellen und nach den vorhandenen Zeichnungen und Stichen
wohl eine größere Anzahl von reinen Landschaften gemalt haben
muß. Ob freilich der Vogelfalle, die man rechts auf dem Bilde
sieht, noch die besondere Bedeutung einer sprichwörtlichen
Redensart zukommt, wissen wir nicht zu sagen. Möglich ist es,
daß dadurch angedeutet wird, daß auch den Vögeln in der
Luft die Sekurität des Lebens nicht gegeben ist, ebenso wie
auf der Erde die Schlittschuhläufer die Schlüpfrigkeit des
Daseins verkörpern mögen. Im übrigen zeigt Bruegel sich auch
hier als ein nie übertroffener Vorläufer der holländischen
Malerei des 17. Jahrhunderts, in welcher die Winterlandschaft
zu einer besonderen, höchst beliebten Gattung geworden ist.

DIE ANBETUNG DER KÖNIGE IM SCHNEE

Winterthur, Sammlung Oskar Reinhart

Holz; 35 cm hoch, 55 cm breit. Links unten eine ziemlich stark verriebene Bezeichnung, die wir glauben folgendermaßen lesen zu können: M·D·LXVII BRVEGEL.

Auch in diesem kleinen Bilde hat Bruegel einen heiligen Vorgang in die winterliche Stimmung eines heimatlichen Dorfes verlegt, und seine Einbildungskraft berührt sich hier mit der Altdorfers, der auf seiner berühmten Darstellung der Geburt Christi in der Wiener Galerie, die Bruegel schwerlich gekannt haben dürfte, die Heilige Nacht mit der Poesie einer Schneelandschaft umgeben hat. Folgerichtig sieht das Dorf Bethlehem ganz ähnlich aus wie auf den Gemälden der Volkszählung und des Kindermords. Die Heiligen Drei Könige haben Mutter und Kind in der schneebedeckten, zerfallenen Scheune — in der äußersten linken Ecke des Bildes — entdeckt und bringen ihnen ihre Huldigung dar. Ihr Gefolge, zu dem auch die in der Ferne zwischen zwei Häusern sichtbaren geharnischten Krieger gehören, ist geringer als auf dem frühen Temperabilde desselben Gegenstandes im Brüssler Museum (Taf. 6), doch aber größer als auf dem Gemälde in Hochformat in der National Gallery zu London (Taf. 21). Im übrigen geht das Leben und Treiben des Dorfes auf unserem Bilde ungestört fort, und die Bewohner scheinen sich nicht viel um den ungewohnten Besuch zu kümmern. Das Sittenbildliche überwuchert hier ganz die evangelische Erzählung. Bruegel hat sich wieder ein völlig neues Problem gestellt, das ganz von dem seiner früheren Wiedergaben des gleichen Vorwurfes verschieden ist. Sehr merkwürdig ist das dichte Schneegestöber, das das ganze Dorf und die handelnden Personen umgibt. Auch dies ist ein neuer Einfall Bruegels, der uns *vor* ihm kaum in der Geschichte der Kunst begegnet. Denselben reizvollen Effekt hat in dem hübschen „Dorf im Winter" der Wiener Gemäldegalerie aus dem Jahre 1586 Lucas van Valckenborch wiederverwendet, dem wir bisher die Erfindung dieses Motivs zugetraut haben, die aber vielmehr einem weit Größeren angehört.

DIE BEKEHRUNG PAULI

Wien, Gemäldegalerie im Kunsthistorischen Museum

Holz; 108 cm hoch, 156 cm breit. Bezeichnet rechts unten:
BRVEGEL·M·D·LXVII.

Auch dieser Stoff ist schon der älteren niederländischen Kunst
bekannt, wobei wir nur an einen Kupferstich von Lucas van
Leiden und an ein Gemälde von Jean Bellegambe zu erinnern
brauchen. Wieder macht Bruegel daraus etwas ganz Neues,
indem er in der Hauptsache nichts anderes schildert als den
Alpenübergang eines Heeres, wobei er an den Herzog von Alba
gedacht haben mag, der gerade in demselben Jahre 1567 die
savoyischen Alpen mit seinen spanischen Truppen durchzog, um
dem niederländischen Volk die Knechtschaft zu bringen. Die
Hauptfigur des Saulus (der freilich mit dem unbeugsamen Alba, der
kein Paulus geworden ist, nichts zu tun hat) sieht man auch hier
— wie die der Kreuztragung (Taf. 19) — weit hinten in der Mitte
der Darstellung, vom Pferde gestürzt, nach den Worten der Apostel-
geschichte (9,3): „Und da er auf dem Wege war, und nahe bei
Damascus kam, umleuchtete ihn plötzlich ein Licht vom Himmel.
Und er fiel auf die Erde, und hörte eine Stimme, die sprach zu
ihm: Saul, Saul, was verfolgest du mich? Er aber sprach: Herr,
wer bist du? Der Herr sprach: Ich bin Jesus, den du verfolgest.
Es wird dir schwer werden, wider den Stachel zu löcken."

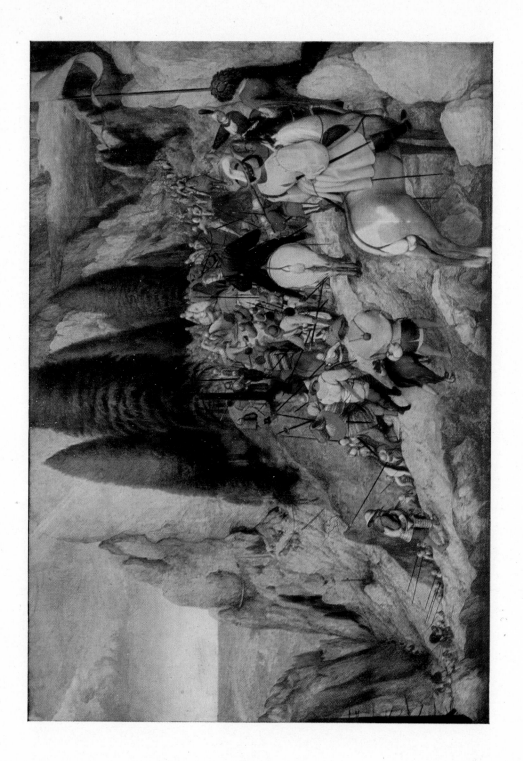

34.

DAS SCHLARAFFENLAND
München, Ältere Pinakothek

Holz; 52 cm hoch, 78 cm breit. Bezeichnet links unten:
M · DLXVII · BRVEGEL.

Unter einem Baum mit einem runden Tisch, auf dem allerlei gute Dinge bereit stehen, liegen Faulenzer aus drei Ständen: der Bauer, der Soldat und der Schreiber, höchst behaglich und vom Genuß erschöpft. Die Zäune sind aus Würsten gebildet. Unter einem Dach, auf dem Fladen wachsen (siehe Taf. 10, Nr. 1), blickt ein Ritter hervor, dem ein gebratenes Vögelein in den Mund fliegt; ein Ei wandert geöffnet herbei; ein Huhn liegt auf einem Teller bereit; ein Schwein läuft gebraten mit dem Messer in der Seite herum; ein kaktusartiges Gebilde scheint aus Kuchen zu bestehen. Im Hintergrunde kämpft sich ein Mann durch einen Breiberg heraus.

Manche Motive, wie das Fladendach und der Breiberg, kommen ähnlich in unseren deutschen Märchen vor, auch in dem von Hänsel und Gretel. Da das vom Schlaraffenland durch fast alle Länder Europas verbreitet und allgemein bekannt ist und uns bei Hans Sachs und Fischart begegnet, würde eine nähere Vergleichung der einzelnen Züge zu weit führen. Ursprünglich scheint es in die Gattung der Lügenmärchen zu gehören, bei denen es auf das Unwahrscheinliche und Unmögliche ankommt. Ob aber Bruegel sich dabei nicht mehr gedacht haben sollte? Vielleicht spielt er damit auf eine Art Utopie des allgemeinen Wohllebens an, das zu seiner Zeit der politischen und religiösen Umwälzungen wohl von Manchen erhofft worden sein könnte.

DIE TREULOSIGKEIT DER WELT

Neapel, Museo Nazionale

Tempera auf Leinwand; 86 cm hoch, 85 cm breit. Bezeichnet auf dem linken Zwickel der gemalten Umrahmung: BRVEGEL 1568. Unter der Darstellung selbst die Inschrift:

Om dat de Werelt is soe ongetru
Daer om gha ic in den ru

Das bedeutet: „Weil die Welt so treulos ist, lege ich Trauer an." Der von der Welt enttäuschte greise Menschenhasser schreitet traurig dahin, bedroht von den Fußangeln auf dem Boden vor ihm und in seinem Rücken von der die Welt versinnbildlichenden Gestalt, die ihm den Beutel abschneidet. Diese in die gläserne Weltkugel gezwängte, gekrümmte Figur ist uns auch auf Bruegels Sprichwörterbilde in Berlin (Taf. 10, Nr. 43) begegnet und hat ebenso wie hier die sprichwörtliche Nebenbedeutung: „Man muß sich krümmen, will man durch die Welt kommen", im Gegensatz zu dem Aufrechten, der der Trauer verfallen ist.

Om dat de Werelt is soe ongetru
Daer om gha ic in den ru

DAS SPRICHWORT VOM VOGELNEST
Wien, Gemäldegalerie im Kunsthistorischen Museum

Holz; 59 cm hoch, 68 cm breit. Bezeichnet links unten:
BRVEGEL MD · LXVIII.

Für den Gegenstand des Bildes hat Georges Hulin de Loo
in einem niederländischen Sprichwort die sichere Erklä-
rung gefunden: „Dije de nest weet, dije weeten, dijen rooft,
dije heeten", was ungefähr bedeutet: Wer weiß, wo das
Nest ist, der hat die Kenntnis; wer es raubt, den Besitz.
Danach würde der Bauer nicht mit der linken Hand
drohen, sondern nur nach dem Nest hinweisen, dessen
Platz er kennt, und ruhig weitergehen, während der
Junge ohne sein Wissen auf den Baum geklettert ist und
das Nest raubt. Dies würde zu Bruegels Gedankenkreis
von der Verkehrtheit der Welt passen. Etwas anders
wird bei Sebastian Brant das Ausnehmen eines Vogel-
nestes zum Sinnbild des Eigensinns und der Überhebung:

> Wer off syn eygnen synn vszflügt,
> Der selb zûn vogel nâster stygt,
> Das er offt vff der erden lygt.

37.

DIE KRÜPPEL
Paris, Musée du Louvre

Holz; 18 cm hoch, 21 cm breit. Bezeichnet links unten:
BRVEGEL · M · D · LXVIII.

Der seltene Gegenstand des Gemäldes wäre in unserer heuchlerisch weichherzigen Zeit auffallender als in der Bruegels, in der man noch an körperlichen Mißbildungen Interesse, ja ein wahres Gefallen fand, wie an Hofnarren und -zwergen. Bruegel hat mit kräftigem Realismus ein paar solcher Krüppel auf dem frühen Bilde der Vertreibung der Krämer aus dem Tempel (Taf. 5) dargestellt, und auf dem des Streits des Karnevals mit den Fasten (Taf. 9) finden wir schon eine ganze Gruppe, ähnlich der unseres Bildchens, dessen Grundzug Max Dvořák durch eine sehr feine Vergleichung bezeichnet: „Als ob eine Familie von Giftschwämmen in einer einsamen Ecke aus dem feuchten Boden gewachsen wäre." — Was Bruegel damit sagen wollte, ist nicht ganz klar. Nicht von der Hand zu weisen ist die Vermutung R. van Bastelaers, in diesen Bettlern („gueux") möchte eine Anspielung auf die politische Partei der Geusen zu erkennen sein, welche Granvella, den Statthalter Philipps II., bekämpfte! Das Abzeichen dieser Partei waren die Fuchsschwänze, mit denen vier der Krüppel geschmückt sind. Im Jahre 1568 war freilich die Macht der Geusen schon lange gebrochen.

38.

DER LUSTIGE WEG ZUM GALGEN

Darmstadt, Museum

Holz; 45·9 cm hoch, 5o·8 cm breit. Bezeichnet links unten:
BRVEGEL · 1568.

Die Deutung Van Manders, wonach mit der Elster auf dem
Galgen die Klatschbasen gemeint seien, die Bruegel des Galgens
für würdig erachtete, ist viel zu verkünstelt, um zutreffend zu sein.
Auch ist nicht nur eine Elster auf dem Bilde zu sehen, sondern
eine zweite sitzt auf dem Felsen zu Füßen des Galgens, mit
dem sie gar nichts zu tun zu haben scheint. Der Sinn der Darstellung ist aber ziemlich klar. Ein loser Zug von Bauern und
Bäuerinnen strömt von dem Dorfe unten zur Anhöhe herauf,
auf welcher der Galgen steht. Die Leute sind lustig, und ein
Dudelsackpfeifer begleitet sie. Drei Tanzende sind, wie es
scheint, unbewußt ganz in die Nähe der Richtstätte geraten.
Links stehen zwei Männer, von denen einer mit der Hand auf
den Galgen hinweist und die Tanzenden vielleicht durch einen
Zuruf darauf aufmerksam macht, daß an diesem Platz ihre
Heiterkeit nicht ganz gehörig ist. Nun gibt es in der Tat ein
deutsches Sprichwort, das vortrefflich zu diesem Vorgang paßt
und das auch in der niederländischen Redensart „aan de galg
dansen" einen kürzeren Ausdruck gefunden hat: „Der Galgenweg
geht auch durch lustige Auen." Gerade der Gegensatz zwischen
der Torheit der Menschheit und der Schönheit der Natur ent-
spricht ganz Bruegels Auffassung der Welt und der Menschen.

DAS GLEICHNIS VON DEN BLINDEN

Neapel, Museo Nazionale

Tempera auf Leinwand; 86 cm hoch, 154 cm breit. Bezeichnet links
unten: BRVEGEL · M · D · LX · VIII.

Das Gleichnis von den Blinden entstammt bekanntlich dem Evangelium:
„Lasset sie fahren, sie sind Blinden-Leiter; wenn aber ein Blinder den
andern leitet, so fallen sie beide in die Grube." Es war zu Anfang des
16. Jahrhunderts Gemeingut des damaligen Gedankenkreises, wie denn
auch Sebastian Brant daran erinnert, wenn er im Narrenschiff sagt:

> „Eyn blyndt den andern schyltet blindt,
> Wie wol sie beid gefallen synt."

In die niederländische Malerei dürfte Hieronymus Bosch den Stoff
durch ein Bild eingeführt haben, das noch die Darstellung getreu der
Bibel folgend auf die Hauptfiguren von *zwei* Blinden beschränkt. Erst
Cornelis Metsys macht daraus einen Gänsemarsch von *vier* Blinden.
Bei Bruegel sind es deren *sechs*, welche in diagonaler Anordnung die
Bildfläche durchqueren: der vorderste ist schon in den Wassergraben
gefallen, der nächste droht ihm bald nachzufolgen, und mit ihm hängen
durch lange Stangen und auf die Schultern gelegte Hände die weiteren
vier ihm Nachtastenden zusammen, denen das gleiche Schicksal be-
schieden sein wird.

Was hat Bruegel mit dieser seiner großartigen Schöpfung sagen wollen?
Wenn er die Anzahl der unglücklichen Blinden seinen Vorgängern
gegenüber vermehrte, so lag dem wohl ein konkreter Einfall zugrunde:
wahrscheinlich dachte er sich als ahnungslosen Führer einer ahnungslosen Menge einen jener Wanderprediger, welche zu seiner Zeit, aus
dem gemeinsten Pöbel oder höchstens aus dem Handwerkerstande
hervorgegangen, große Scharen von Anhängern gewisser Sekten um
sich zu versammeln wußten. Gläubig, wie Bruegel gewesen ist, fand er
bei ihnen nicht den wahren Glauben, sondern blinden Irrwahn. Im
Grunde bleibt er damit dem Geiste des evangelischen Gleichnisses treu.

40

DER UNGETREUE HIRT

Philadelphia, Museum, Sammlung John G. Johnson

Holz; 61 cm hoch, 85 cm breit. Stark übermalt und schwerlich als eigenhändig anzusehen, obwohl die Komposition
ohne Zweifel von Bruegel herrührt.

Ausführlich hat Bruegel das Gleichnis vom guten Hirten
und seinen Schafen in einem wunderbaren Blatte dargestellt, das, 1565 entstanden, von Philips Galle gestochen
worden ist. Hier sind im Hintergrunde zu beiden Seiten
zwei Szenen angefügt, von denen die eine den guten Hirten
im Kampf mit dem Wolf, die andere den ungetreuen auf
der Flucht vor dem Wolf zeigt, nach den Worten des Evangeliums Johannis: „Ich bin ein guter Hirte. Ein guter Hirte
läßt sein Leben für die Schafe. Ein Miethling aber, der
nicht Hirte ist, deß die Schafe nicht eigen sind, siehet den
Wolf kommen, und verläßt die Schafe und fliehet; und der
Wolf erhaschet und zerstreuet die Schafe." Es ist also dieser
Hirte, der kein Hirte ist, dargestellt; er flüchtet auf der ge-
furchten Straße eilends nach Hause zu und überläßt aus
Furcht seine Schafherde dem Wolf, der schon eines von den
Tieren gepackt hat, während die andern zu fliehen trachten.

41

KOPF EINER ALTEN BÄUERIN

München, Ältere Pinakothek

Holz; 22 cm hoch, 18 cm breit. Nicht bezeichnet.
Bildnisse von der Hand Bruegels sind nicht mehr erhalten oder wenigstens verschollen und unbekannt geblieben, und auch von den Studienköpfen, die er ohne
Zweifel gemalt haben muß, die er aber, ebensowenig
wie seine Zeichnungen nach dem Leben, gleichlautend
in seinen Bildern verwendet haben dürfte, kennen
wir nur diesen einzigen, den wir uns zur Zeit der folgenden Bilder, der Bauernkirmes und der Bauernhochzeit (Taf. 43 und 42), entstanden denken möchten.

DIE BAUERNHOCHZEIT
Wien, Gemäldegalerie im Kunsthistorischen Museum

Holz; 114 cm hoch, 163 cm breit (unten ein etwa 5·5 cm breiter
Streifen falsch angesetzt). Gegenwärtig keine Bezeichnung sichtbar.
An einer schräg durch die Bildfläche gestellten, langen Tafel
hat sich die Festgesellschaft niedergelassen, deren Anzahl die
durch eine Verordnung Karls V. für solche ländliche Hochzeits-
mahle vorgeschriebene Beschränkung auf zwanzig Teilnehmer
nicht überschreitet. In der Mitte sitzt unter einer aufgehängten
Krone die häßliche Braut in der stumpf gleichgültigen Haltung,
die seither in der niederländischen Malerei herkömmlich geworden ist. Die Figur des Bräutigams hingegen ist nicht unverkennbar hervorgehoben; sollte es der eifrige Esser links, zwei
Plätze von der Braut entfernt, sein? Wer der schwarz gekleidete
Städter mit Hut und Degen ist, auf den am rechten Ende der
Tafel ein Franziskanermönch eifrig einspricht, bleibt für uns
unklar; man hat an den Maler selbst gedacht, der nach Van
Mander an solchen Festen, freilich in bäuerischer Verkleidung,
teilgenommen haben soll, dessen Züge aber nach Maßgabe
seiner gestochenen Bildnisse anders aussehen; vielleicht ist eher
an den Gutsherrn oder an den Richter oder Schultheiß des Dorfes
zu denken. Die Speisen werden auf einer ausgehängten Scheunen-
tür von zwei Bauernburschen herbeigetragen, ein dritter schenkt
Wein ein, zwei Dudelsackbläser spielen auf, ein kleines Mädchen
ergibt sich auf dem Fußboden sitzend kulinarischen Genüssen,
und links im Hintergrund sieht man durch eine geöffnete
Tür eine dichtgedrängte Schar von Neugierigen hereinströmen.

43.

DER BAUERNTANZ

Wien, Gemäldegalerie im Kunsthistorischen Museum

Holz; 114 cm hoch, 164 cm breit. Bezeichnet rechts unten:
BRVEGEL.

Das vorliegende Werk schließt sich an frühere Darstellungen von
Hochzeitstänzen von Bruegel an und bringt diesen Vorwurf zur
höchsten Vollendung. Die Anzahl der Figuren ist wesentlich ver-
ringert, ihre Größe stark erhöht. Die Braut und der Tisch mit
den Gaben fehlen ganz und damit auch der Zusammenhang mit
dem Hochzeitsfest. Die Stimmung erscheint hier gegenüber dem
Festmahl zur Hitze gesteigert, in der lebhaft bewegten Gruppe
von Zechern links, dem sich küssenden Liebespaar dahinter, dem
mit wahrer Inbrunst aus gefüllten Backen blasenden Dudelsackpfeifer, welchem ein junger Bauer andächtig zuhört, den tanzenden Paaren rechts, unter denen ein altes in den Vordergrund
gerückt ist, in den Zuschauern des Hintergrundes, denen
ein in ein Narrenkleid gehüllter Bauer den Ton anzugeben
scheint. Im Vordergrund links ahmt ein kleines Mädchen
mit einem noch jüngeren die Tanzbewegung der Alten nach.
Mit Recht erinnert hier Axel L. Romdahl an das Sprichwort,
das nach Bruegel so oft von Jordaens und Steen dargestellt
worden ist: „Soo de ouden songen, soo pypen de jongen."

44.

DIE MEERLANDSCHAFT
Wien, Gemäldegalerie im Kunsthistorischen Museum

Holz; 70·5 cm hoch, 97 cm breit. Nicht bezeichnet.

Schon früh zeigt sich in der niederländischen Malerei eine Vorliebe für die Darstellung des Meeres, welches den Küstenbewohnern als Quelle ihrer Wohlfahrt besonders wichtig und wert ist. Eigentliche Marinen begegnen uns, nachdem das Meer früher in Miniaturen und Bildern als Hintergrund der Darstellungen verwendet worden war, schon unter den flandrischen Leinwandbildern des mediceischen Besitzes im 15. Jahrhundert, von denen freilich nicht die geringste Spur mehr erhalten ist. Im 16. Jahrhundert finden wir die Darstellung des bewegten Meeres schon bei Herri met de Bles in einer seiner Landschaften im Museum zu Neapel, freilich noch in wenig vollkommener Ausdrucksweise. Bruegel hat das Meer seit seinen Anfängen immer wieder beschäftigt: wir erinnern an den „Hafen von Neapel" (Taf. 1), die von Frans Huys gestochene Seeschlacht von Messina und an die von demselben und anderen Stechern wiedergegebene Serie von Schiffen. Das vorliegende hervorragende Stück, das heute allgemein als Werk Bruegels anerkannt und ebenso allgemein in die späte Schaffenszeit des Meisters versetzt wird, kann aber erst als die früheste vollendete Marine der niederländischen Malerei gelten.

Schon M. J. Friedländer hat an die Möglichkeit gedacht, daß auch hier ein Sprichwort illustriert sein könnte. Diese Vermutung scheint uns zur Gewißheit zu werden durch den folgenden Nachweis, den wir Ludwig Burchard verdanken: Fliehendes Schiff, Walfisch und Tonne (zwischen beiden), diese drei Elemente bilden zusammen ein Emblem, dessen Deutung sich aus folgender Stelle in Zedlers Universal-Lexikon (1732—1750) ergibt: „Wenn der Wallfisch mit einer ihme vorgeworffenen Tonne spielet und dem Schiffe Zeit giebt zu entfliehen, ist er ein Bild eines, der um eitler nichtiger Dinge willen sein wahres Wohl verabsäumet." Und ebenso deutlich ist: die Tonne, die geopfert wird, enthält das kostbarste Gut, das die Mannschaft an Bord hatte, das Trinkwasser; die wird dem drohenden Verfolger „in den Rachen geworfen". — Hoffentlich gelingt es, für diese ohne Zweifel zutreffende Deutung einen Beleg aus dem 16. Jahrhundert zu finden.

VERZEICHNIS DER GEMÄLDE